EL CÓDIGO DE LA DISCIPLINA

MÁS AUTOESTIMA Y MENOS AUTOSABOTAJE

RAIMON SAMSÓ

EDICIONES
INSTITUTO EXPERTOS

ÍNDICE

INTRODUCCIÓN AL CÓDIGO

MI PROMESA

DESPUÉS DE ESCRIBIR mi anterior libro El Poder de Disciplina (*bestseller* en Amazon) me di cuenta de que la indisciplina es un enorme problema para mucha gente, así que decidí ahondar en su solución con este segundo libro sobre el tema. La finalidad de este volumen es codificar para hacer sencilla un conjunto ordenado de leyes y principios en un intento de hacer muy práctico el hábito de la disciplina.

Me preguntan en qué es este libro diferente al anterior. Pues bien, yo nunca me repito en mis obras, aunque siga pensando lo mismo. Mis contenidos son diferentes. Mi aprendizaje y comprensión sobre el tema evolucionan constantemente, este libro recoge propuestas que no incluí en mi anterior libro simplemente porque yo aprendo cada día y me considero en continúa evolución.

Apuesto a que eres una persona muy ocupada y el tiempo que dedicarás a esta lectura es una inversión de tiempo que has sustraer de otras tareas. Haré que valga la pena para ti.

Por mi parte, me comprometo a no hacerte perder el tiempo. No quiero que ese par de horas sean tiempo perdido; bien al contrario, quiero que supongan un antes y un después.

Si ya has leído alguno de mis libros, ya sabes que hablo claro y que voy al grano. Una de mis habilidades es hacer sencillo lo complejo y poner en palabras llanas conceptos profundos. Este libro está limpio de polvo y paja de modo que solo contiene grano que moler. O, dicho de otro modo, lo he dejado limpio de grasa para que solo quede músculo y carne magra.

Quiero que sepas que he acortado el manuscrito original en más de cincuenta páginas para poder condensarlo en una lectura de menos de dos horas, porque respeto tu tiempo. Me he esforzado en sintetizarlo todo —menos páginas es más tiempo para ti—, sin que el mensaje se vea afectado.

Este manual es un curso completo de «disciplina fácil y automática». Y te capacitará para conseguir todo lo que desees alcanzar. No va de establecer metas, trazar planes, escribir listas de tareas por hacer, o de una gestión eficaz de tu agenda... todo eso ya lo has probado antes y te ha funcionado a medias por la sencilla razón de que para tener el hábito del éxito te falta el hábito de la disciplina. Antes del éxito siempre va la disciplina.

Sabes que la disciplina es un factor esencial, pero quizás no sabes por dónde empezar. Imagino has tratado de seguir infinidad de consejos, pero nada parece funcionar por completo. Sabes que deberías ser más disciplinado en tu vida y profesión, pero parece que no puedes apegarte a nada el tiempo suficiente como para ver resultados. Lo has intentado casi todo, desde establecer metas hasta tomar resoluciones de fin de año... pero nada ha funcionado al cien por cien hasta a hora.

Este libro llega en tu ayuda.

El Código de la Disciplina es un manual de lectura rápida que te ayudará a desarrollar el hábito de la «disciplina fácil y automática». Si estás cansado de probar cosas y no ver resultados, entonces El Código de Disciplina es para ti. Este libro te enseñará a desarrollar el hábito de la «disciplina fácil y automática» para que, finalmente, puedas prescindir de la fuerza de voluntad; y lo mejor: ¡ver resultados!

Este libro está escrito de una forma que hace muy digerible su contenido; pero no te engañes, su sencillez implica un enorme cambio interior.

Cumpliré mi promesa de entregarte un método de disciplina. Te pido paciencia y avanzar en la lectura de forma ordenada. Es importante seguir el orden del índice para que cuando llegues al capítulo seis, donde te entrego *El Código*, hayas creado el contexto mental necesario para absorberlo con provecho y se acomode en tu mente.

El Código te convertirá en una persona con actitud ganadora cualquiera que sea el reto al que te enfrentes. Me aplicaré a fondo porque tu éxito es el mío. Sé bien que mi próximo libro depende de que este sea útil a quienes lo lean y apliquen. A cambio, necesito que hagas tu parte y no te saltes capítulos, adicionalmente que leas un par de veces este libro como mínimo para sacar todo su jugo y que apliques los consejos que encontrarás en sus páginas.

Quiero mostrarte en estas páginas:

- Qué es y qué no es la disciplina

- Cómo se despliega la disciplina en la mente y en comportamiento
- Cuál es la relación directa entre autoestima y autodisciplina
- Formas de reciclar la fuerza de voluntad en algo fácil y automático
- Y cuáles son los tres pasos para pasar de las decisiones a los resultados
- El modo de programar tu biología para la disciplina
- Y mucho más.

Esta es mi promesa para las próximas dos horas.

La palabra «código» hace referencia a un conjunto de leyes y principios. Es un término original del latín *codex*, y se traduce por «libro de leyes o principios» que gobiernan un tema. Una recopilación sistemática de leyes que desentrañan las claves para entender un secreto. Y que forman un conjunto ordenado y sistematizado.

El Código que te revelaré desactiva el autosabotaje y activa la autoestima, su *corpus* aglutina seis leyes y once principios prácticos. Lo tienes todo resumido en el capítulo siete. Cada capítulo te entrega una llave que abre una nueva dimensión mental. En total, encontrarás siete llaves para acceder a siete respuestas a la pregunta: ¿Cómo podría ser más disciplinado? Y una llave adicional para los más valientes en el capítulo perdido.

Como sabes, por mis anteriores libros, me encanta descifrar y sistematizar los códigos del éxito. Este libro completa mi trilogía:

1. El código del dinero.

2. El código de la manifestación.
3. El código de la disciplina.

Los principios de este libro, que conforman el código, son para usarlos y comprobarlos. Son mi método práctico para la acción inmediata y eficaz. Sé que la primera razón por la que la gente no triunfa es porque carece de un plan concreto y de un método infalible. Pero armados con ambos, son imparables. De hecho, cuando dedico este libro a un lector, suelo escribirle: «Serás imparable». ¡Y lo firmo!

He escrito este libro para ti quien quiera que seas para revelarte el super poder de la disciplina que hará realidad tus deseos. El presente código de principios y leyes conforma *El Código de la Disciplina* y es una tecnología espiritual para conseguir pequeñas mejoras de forma sostenida sin que suponga un sacrificio, sino más bien un acto de amor placentero.

Todo aquel que pueda leerlo y entenderlo, podrá sin duda aplicarlo. Mi método de autodisciplina está al alcance de todos para ser usado rápidamente. En los capítulos que vienen a continuación encontrarás principios probados que perfeccionaran tu desempeño instantáneamente, además de ejemplos e instrucciones concretas.

Como el tema de la disciplina es algo que yo resolví de niño, no era consciente de cuánto afecta a los adultos. Después de haber vendido más de 20.000 ejemplares de mi anterior libro sobre la disciplina, me doy cuenta de la envergadura del problema. Ahora sé que muchas personas sienten que necesitan disciplinarse para conseguir una vida más lograda. Y creo que es el momento de aportar nuevo material para contribuir a una transformación masiva.

Quisiera que vieras el hábito de la disciplina de otra manera a cómo lo has hecho hasta la fecha. Para poder ver, primero es necesario reconocer que no estás viendo nada en absoluto en la actualidad. Entre dónde estás y dónde quieres estar hay una distancia que se cubre con el proceso de transformación que te propondrá este libro. De ti dependerá andar ese camino.

La tesis central de este libro es que la indisciplina es una falta de amor (como todos los problemas que afectan a la humanidad) y por tanto me verás repetirla aquí y allí hasta su asimilación. Cuando seas consciente de que lo que domina tu vida es el miedo, como antítesis del amor, podrás liberarte de la indisciplina. No tomes ninguna decisión al margen del amor a partir de ahora.

Si tus sueños no se materializan, si tu vida no alcanza el ideal que te has marcado, si todo es muy difícil y cuesta arriba... es porque careces del poder de la disciplina. Y estoy seguro que la disciplina te dará todo; y su ausencia, te lo quitará todo.

Si careces de disciplina es porque hasta la fecha no eres capaz de ver la diferencia entre actuar desde el amor y actuar desde el miedo. Has pensado al margen del amor, esa es la primera indisciplina que da pie a todas las demás. Solo hay una indisciplina y es la falta de amor por uno mismo la cual se extiende a todo lo demás. Solo hay una disciplina y es vivir desde el amor lo cual se manifiesta en todo lo que se hace.

Antes de hoy, preguntabas qué tenías que hacer para lograr tus sueños, cuando ya habías establecido lo que ibas a hacer. A partir de hoy, ya no preguntarás qué hay que hacer porque tu respuesta inmediata será «Lo necesario cuando sea necesario». Y más aún, te centrarás más en quién *eres* y cómo *eres* que en qué *haces* y cómo lo *haces*. Primero construirás un hábito (la disciplina), basado en la autoestima, y después ese hábito construirá una vida ideal para ti de forma fácil y automática.

He escrito un libro corto a propósito porque te voy a pedir que lo leas dos veces. Reléelo y permítete absorber lo que se dice entre líneas. Tu transformación, progresiva e imperceptible, será la solución a todos tus problemas, incluido el que aborda este libro. Confío en ti, en tus inmensas posibilidades, así que vamos a empezar el viaje a la grandeza.

Raimon Samsó, autor de: *El Código del Dinero, El Código de la Manifestación, El Código de la Disciplina.*

CAPÍTULO 1
QUÉ ES LA AUTODISCIPLINA
(Y QUÉ NO ES)

LA «LEY DE LA PERSISTENCIA» establece que insistir, persistir y resistir ante los contratiempos (errores, retrasos, problemas, frustración, obstáculos…) conduce al éxito tarde o temprano. Está demostrando que la autoestima y creer en uno mismo por encima de todo hace más por el resultado que cualquier esfuerzo. Quién resiste, se queda a la larga solo en la pista, y por tanto gana la carrera. La última milla es la más solitaria, la mayoría se ha rendido, por eso puede cubrirse a paso ligero y silbando.

El abandono solo está justificado en el 1% de las veces (causas de fuerza mayor), el otro 99% de las veces son rendiciones puras y duras, abandonos prematuros; hemos de reconocerlo. Pregúntate siempre: ¿En qué me rendí? ¿Dónde me abandoné?

A veces, ni siquiera hace falta ser el mejor para ganar, basta con resistir más que los otros. Eso es autoestima, es autocontrol; y, por tanto, es autodisciplina. Entrénate en el hábito de resistir si quieres ser disciplinado. Rechaza rendirte prematuramente, di no a tirar la toalla, aguanta un día más el impulso de abandonar. Si lo haces, superarás la primera causa mundial de fracaso: el abandono prematuro e injustificado.

Esta ley se resume en: *resistir, persistir, insistir*. Susúrralo como un mantra.

¿Cómo aplicar esta ley? Cuando aquello en lo que estás trabajando parezca sucumbir a los obstáculos, resiste la idea de abandonar y rendirte. Deja pasar un día al menos antes de tomar la decisión de darte por vencido. No te precipites, tómate un tiempo para reforzar tu motivación, reza si hace falta, pide inspiración, conecta con tu corazón, pide orientación y guía… pero resiste la tentación de abandonar. No te rindas ante las dificultades, mejor ríndete a la orientación de la luz.

La autodisciplina es… un cóctel con diferentes ingredientes: autoconocimiento, autoestima, autocontrol, autodeterminación, autoridad… Añade al cóctel: hielo, unas gotas de angostura y una rodaja de limón. ¡Brinda a tu salud!

La autodisciplina es… la repetición continuada de una acción —o serie de acciones— que conducen a fijar un hábito. Sí, la disciplina crea el hábito. Careces de hábitos deseables porque careces de disciplina para fijarlos. La disciplina es una decisión, una mentalidad y una actitud.

La autodisciplina es… un músculo que se fortalece al usarlo. Cuando eres disciplinado en un área de tu vida, es más sencillo serlo también en otras áreas porque reconoces sus enormes beneficios. Cuando te consideras disciplinado, entonces por coherencia pasa a formar parte de tu identidad. Te parece lo más natural del mundo ya que es parte de ti.

La autodisciplina es... una decisión, un comportamiento y una actitud. Lo que la eleva a la categoría de filosofía de vida que proviene de uno mismo, no viene impuesta desde fuera.

Aplicarte en tareas diarias, sencillas y cotidianas es la clave para emprender metas complejas. Puedes llamarlas «rutinas» aunque sé que algunas personas no aman esa palabra porque les parece aburrida, entonces puedes llamarlas «secretos de éxito» si te emociona más.

Recomiendo tolerancia cero con las excusas. Por suerte, cada excusa que puedas inventar tiene un antídoto que la anula, búscalo y aplícatelo en dosis generosas. Al final, descubrirás que toda excusa es una falta de amor. Es autosabotaje y de ahí el subtítulo de este libro: más autoestima y menos autosabotaje.

En mi opinión, rendirse al amor es la forma de autoestima más elevada y refinada que existe. Las personas que se respetan y se aman a sí mismas se dan todo cuanto pueden a través de la auto-disciplina.

La disciplina —con autoestima y sin autosabotaje— en realidad no es una «obligación» sino pura «devoción» y por ello no es preciso forzarla, se activa naturalmente. No es una imposición externa o una orden que proviene de alguien más, sino una elección interna elegida de forma voluntaria por uno mismo.

Cuando descubres lo mucho que te ofrece la disciplina, no te supone ningún esfuerzo aplicarte a ella. Al contrario, no puedes dejar de disciplinarte aún más y en más áreas de tu vida porque es el secreto del éxito.

En mi opinión, la disciplina no es la obligación de hacer lo que no quieres. La disciplina no es una forma de reprimir tu libertad, sino todo todo lo contrario, va a mejorar tu vida. La disciplina no es:

- una tarea ingrata;
- un deber sin recompensa;
- reglas injustas, arbitrarias;
- órdenes, imposiciones, castigos;
- obediencia y sumisión;
- fuerza de voluntad;
- sacrificarse;
- una obligación;
- un aburrimiento.

Se difama injustamente la auténtica disciplina desde diversos ámbitos:

- disciplina familiar (los padres disciplinan a los hijos);
- disciplina militar (los mandos disciplinan a la tropa);
- disciplina escolar (los profesores disciplinan a los alumnos);
- disciplina profesional (los superiores disciplinan a los subordinados).

La verdadera disciplina es de ti para contigo mismo: autodisciplina (usaré en adelante e indistintamente las palabras: disciplina y auto-disciplina, refiriéndome a lo mismo).

La disciplina te suena a algo negativo porque desde niño lo has relacionado con: ordenes, sacrificio, imposiciones y obligacio-nes… Eso no era disciplina, eso era un mal rollo. Pero lo que tengo preparado para ti en este libro es completamente diferente a eso ya que, en mi visión, la disciplina es una demostración de amor.

La disciplina se entiende mejor cuando la tildamos como autodisciplina. La palabra «auto» sugiere una elección personal y también sugiere un comportamiento automático. Es *auto* elegida y *auto* aplicada. Además, el prefijo *auto* es la expresión de autoridad en tu vida para recuperar el autocontrol sobre tu vida.

En efecto, con autodisciplina te conviertes en la autoridad de tu vida para establecer comportamientos elegidos que activan resultados automáticos sin esfuerzo. Con su impulso, desarmas los frenos inconscientes de la zona confortable y el mínimo esfuerzo.

 La disciplina es básicamente la determinación para vivir de acuerdo a los propios principios y valores.

La autodisciplina necesita de estas tres condiciones:

1. saber qué es lo que quieres;
2. hacer lo adecuado para conseguirlo;
3. aplicarse a ello con constancia.

Listo: uno, dos y tres. ¡La **auto**disciplina es **auto**ridad **auto**dispensada de forma **auto**mática!

¡La disciplina es una *elección* libre tomada para tu mayor bien!

¡La disciplina es un *compromiso* contigo mismo!

¡La disciplina es un *hábito* digno de desarrollarse en grado máximo!

Es fácil darse cuenta de que casi todos los casos de éxito prolongado en el tiempo, se deben a la autodisciplina. Se puede lograr éxito sin disciplina, a partir de talento y oportunidad; pero no es posible sostenerlo en el tiempo porque la disciplina requiere de continuidad para crear un hábito sostenido.

Como verás, la disciplina es tu «constitución personal», tus prioridades que representan tus valores. Es la Carta Magna que reconoce y te otorga la libertad, así como los derechos y deberes. Te lo explicaré en el capítulo cinco.

Si esta metáfora te suena grandilocuente y prefieres otra más de ir por casa, entonces te diré que la disciplina son las «normas de la casa». Y quien pone las normas en tu vida eres tú (o al menos deberías serlo). Si tu vida tiene reglas, tú mismo vas a dictarlas. ¿Te seduce la idea?

Si prefieres otra metáfora de la disciplina, ahí va: la disciplina es como una bicicleta, cuando dejas de pedalear se acaba la magia. De ahí que insista en convertirla en una forma de estar en el mundo, una mentalidad; y no un plan de acción puntual. La disciplina es para siempre. He descubierto que cuando pedaleas cada día, llegas lejos.

En las carreras de F1 no gana el que hace la vuelta más rápida (eso es una marca puntual), sino el que mantiene el mejor ritmo sostenido durante toda la carrera. Y en la vida igual, no necesitamos hacer esfuerzos puntuales, sino tener mejor ritmo y mantenerlo desde el inicio hasta el final.

Como escritor, mi ritmo es de dos libros al año. Unos años más y otros solo uno, pero manteniendo ese ritmo, en una década escribo veinte libros o más. El ritmo, en el corto plazo es insignificante, no te despeina, pero ofrece resultados asombrosos en el medio y largo plazo.

Veamos el primer principio que te ayudará en la disciplina fácil y automática.

El éxito es la aplicación de la «magia de los promedios» o la «magia de los números grandes»: el resultado mejora y aumenta en proporción a la cantidad de acciones adecuadas que realizas. El resultado de un comportamiento se puede predecir a través de un porcentaje de rendimiento. A más repeticiones, el porcentaje —que no varía mucho— ofrece mayores resultados. Para que lo entiendas: grandes números, grandes resultados.

De uno de mis autores admirados, Donald Trump, aprendí a pensar en grande. Cuesta lo mismo que pensar en pequeño pero te ofrece unos resultados mucho mejores. A mayores números, mayores resultados. Es la magia de las cifras exponenciales. De sus libros, me quedé con muchos buenos consejos, además del principio de pensar en grande. Convertí su consejo en subir la apuesta y pedirme el doble por norma.

¿Cómo sería obtener el doble de lo que amas en tu vida? ¡El doble!

Cuando emprendes algo, creas causas, activas fuerzas no visibles, por lo que un porcentaje de las acciones resultarán exitosas; así, cuantas más veces lo repitas, más resultados exitosos en cifras absolutas conseguirás. La disciplina se basa en los grandes números. La repetición es la multiplicación en proporción geométrica, la curva exponencial, doblar, triplicar... La «magia de los números grandes» juega a tu favor con la disciplina.

Por ejemplo:

Si estudias más horas, tienes más opciones de superar un examen.

Si entrenas más días, mejoras más tu forma física.

Si practicas más un instrumento, tienes más seguridad en la interpretación.

Si compras más boletos de lotería, tienes más opciones de conseguir un premio.

Si tienes más minutos de sol, consigues más vitamina D y enfermas menos.

Si lees más libros, eres más sabio y no podrán engañarte.

Si amas más, tu vida vale más.

La función crea el órgano, la repetición crea la disciplina, y los números grandes crean la magia de los grandes cambios.

Al saber cómo funciona la «magia de los grandes números», no soy disciplinado algunas veces y otras no, sino ¡cada día de mi vida! Así me apalanco en los números grandes para obtener resultados extraordinarios. Mantengo el ritmo dentro del día, también dentro del mes y dentro del año.

Otro ejemplo de la aplicación de la «magia de los promedios» es escribiendo muchos libros (a fecha de hoy —y con este— ya son treinta y siete) para así aumentar la probabilidad de obtener más *bestsellers* (es la misma estrategia que aplican las editoriales).

Si aplicas la «magia de los promedios» no puedes perder porque estás acumulando posibilidades favorables que eclosionarán con el tiempo. Y sucederá de esta manera:

1. Al aprender y mejorar tus comportamientos y acciones, mejorará el porcentaje de logros.

2. Al repetir tus comportamientos y acciones, mejoradas, aumentará la cifra absoluta de logros.

Aumenta la calidad y la cantidad, por este orden. El mantra: «Más y mejor» me parece una receta de éxito seguro.

Por ejemplo, cuánto más aprendo a escribir *mejores libros* (1) y cuántos *más libros* (2) escriba, más *bestsellers* obtendré. ¿Sencillo verdad? Estamos aplicando la «magia de los promedios» que hará maravillas en tu vida. ¿Cómo se aplicaría en tu caso? Detén la lectura por unos minutos y anota ahora tu estrategia ganadora basada en la «magia de los números grandes».

«Más y mejor» es el origen de un bucle de la excelencia: cuanto mejor lo haces, más atractivo es para ti (y para otros). Cuanto más te atrae, más lo haces. Cuanto más lo haces, mejor te vuelves haciendo… ¡es un círculo virtuoso!

Está claro que no siempre ganas, ya sabes que el éxito es un porcentaje —bastante estable— sobre la cantidad de intentos. Pero te diré una cosa, si no fallas nunca es que arriesgas poco y así nunca se gana. Como decía un corredor de F1, tienes que derrapar más en las curvas o no ganarás las carreras.

Para ganar más hay que fallar más. Los que fallan poco, ganan poco.

Mi consejo es que practiques más y aprendas más de los fallos, esa es la «ecuación del éxito» que he explicado en otro de mis libros. Es algo así como «ganar al perder». ¿Dónde está el acierto en un error y el beneficio en una pérdida? En tu siguiente acción ¡corregida!

éxito = fallos + (aprendizaje)^2

Bienvenido a la «Universidad del Error». Cuando te equivoques, nadie está mirando, a nadie le importan tus errores —pues no eres tan importante— salvo a los cretinos. En consecuencia, no deberían importarte tampoco sus opiniones. En esta «Universidad del Error» todo el mundo va a lo suyo, menos tú que vas a lo tuyo.

No sé a ti pero a mí no me cuesta nada nada ser disciplinado porque para mí la disciplina es:

- …un auto regalo;
- …un super poder para ser un super héroe;
- …una inversión a medio plazo;
- …el diseño del futuro ideal;
- …el camino espiritual del aprendizaje;
- …el combustible para el éxito;
- …un plan ganador;
- …la más alta autoestima.

Déjame que insista este último punto porque es la clave del «código de la disciplina».

Quiero ser claro contigo: cuando alguien se quiere de verdad, se lo demuestra a diario, se concede lo mejor que puede darse a sí mismo. No se conforma con cajas de bombones ni ramos de flores; construye una vida mejor. Eso es amor a lo grande. El amor se demuestra con hechos, no con palabrería y promesas vanas.

Cuando alguien se quiere de verdad no se regatea, no se estafa, no se boicotea. Es generoso, se concede todo y más. Y eso es la autodisciplina: aspirar a lo mejor disponible y no bajar el nivel, ni conformarse con menos. La autodisciplina es la mayor prueba de autoestima que conozco. Sabrás si alguien se quiere o no, de verdad, en función de lo disciplinado que sea. Llegamos a la tesis del libro:

autodisciplina = autoestima

Cuando las personas tienen claro el daño que se infringen, dejan de arruinar sus vidas. ¡No más drama! Acaban con el autosabotaje. Cuando saben qué es y qué no es la disciplina, entienden por fin y dejan de resistirse a su mayor bien.

 ¡Lo contrario de disciplina no es indisciplina, es *no quererse a uno mismo*!

No hay indisciplinados, solo existen personas que no se quieren lo suficiente. Afrontamos una epidemia mundial de falta de amor, hasta que no se resuelva afrontaremos problemas sin fin, en esto y en aquello, una y otra vez.

Lo que importa es quererse, no ser disciplinado, eso ya llegará. Lo importante en todo esto es lo que consigues, tus objetivos, para los cuales ser disciplinado no es más que un plan infalible, una línea de trabajo. En este libro estoy exponiendo el plan perfecto para conseguir todos tus sueños y es la disciplina fácil y automática. Imagina una «máquina de generar éxito» que se alimenta con autoestima, ¡eso es la disciplina!

Pero hay más, déjame que te cuente… la disciplina es el primer hábito sobre el que se construyen todos los demás. Y un hábito te permite «automatizar» los pasos del éxito para que este sea ¡inevitable! Todo logro conlleva unos hábitos: descúbrelos, implántalos y replícalos con disciplina. Una y otra vez.

Una de las preguntas que más me han hecho en mi vida es: «¿Cómo...?» y la respuesta es siempre: «Con disciplina.»

Busca el camino difícil (solitario) y desprecia el fácil (atiborrado).

hacer lo fácil —> vida difícil
hacer lo difícil —> vida fácil

Esta es otra de las cosas que me dicen a menudo: «Eso es difícil...» y la respuesta es siempre: «Alégrate, es lo que necesitas». Andarás en un camino solitario y es por eso que llegarás más lejos. Elige siempre el camino menos transitado. Las vidas facilonas no conducen a conseguir los deseos ni a la transformación como seres humanos.

No seas barato, sube la apuesta, paga los precios, dale duro, pídete más... He comprobado que los humanos funcionamos muy por debajo de nuestras posibilidades reales, las cuales ni siquiera llegamos a atisbar.

Construye el hábito de la disciplina que sustentará todos los demás hábitos positivos y comprueba como construirás una vida nueva a tu alrededor.

Con las ideas claras, avanza al siguiente capítulo para convertir la disciplina en los cimientos de tu mundo...

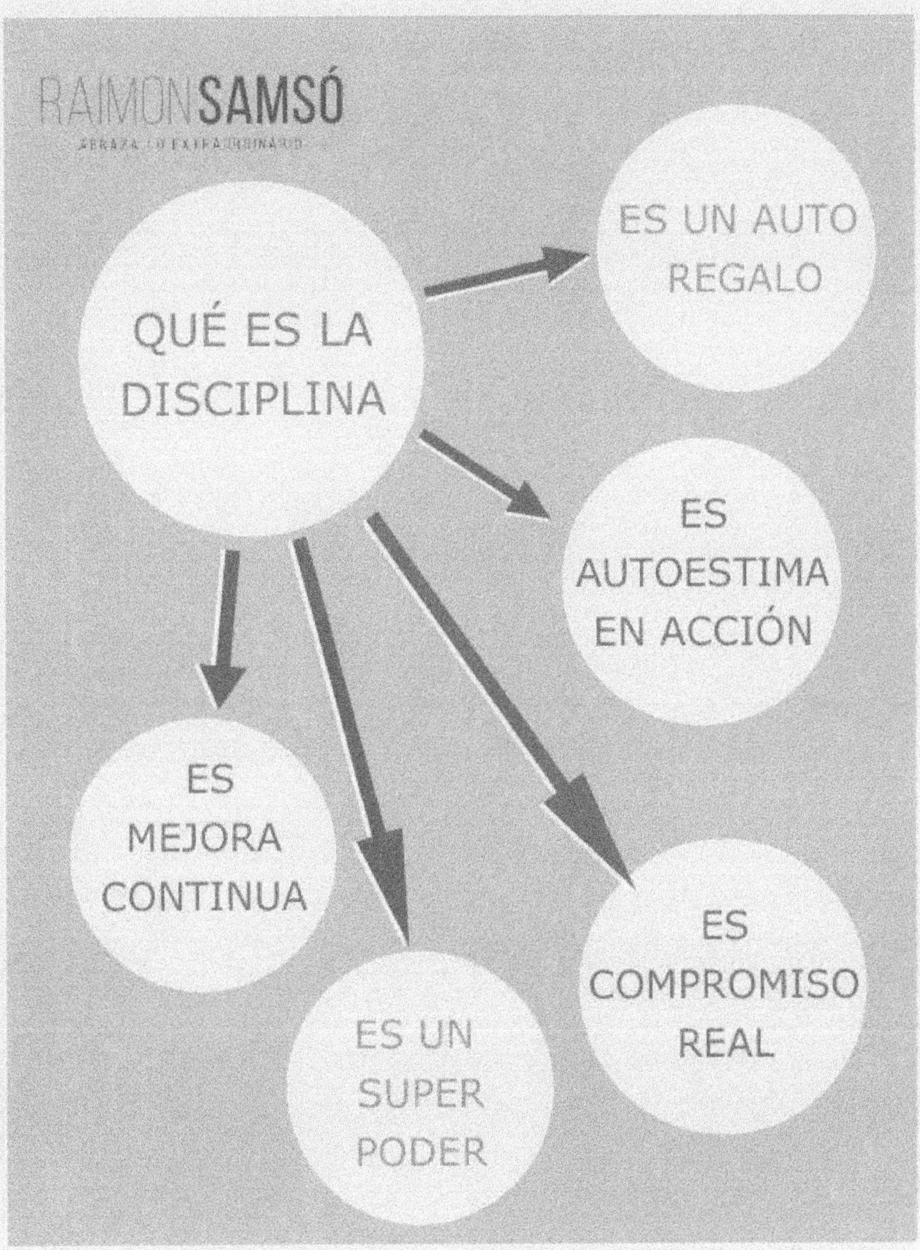
RAIMON SAMSÓ
QUÉ ES LA DISCIPLINA
ES UN AUTO REGALO
ES AUTOESTIMA EN ACCIÓN
ES MEJORA CONTINUA
ES UN SUPER PODER
ES COMPROMISO REAL

CAPÍTULO 2

EL HÁBITO DE TODOS LOS HÁBITOS

PRIMERO LO PRIMERO

LA «LEY DE LA PRÁCTICA» establece que la práctica sostenida convierte los hábitos en la habilidad, reduciendo con ella el tiempo de ejecución de una tarea y aumentando la calidad del resultado. Cada ejecución es una oportunidad de mejorar el detalle. En lugar de la práctica repetitiva sin más, tengamos la motivación de practicar para mejorar. El hábito refuerza la habilidad, y a la inversa. Cuando uno es bueno en algo, no le cuesta nada hacerlo. Tanto es así, que su objetivo no es hacerlo de nuevo, repetirlo una vez más, sino hacerlo mejor y mejor.

Puedes tratar de construir todos los hábitos que desees, pero si no cuentas con la disciplina —que es el comportamiento que crea y sostiene a todos los hábitos—, no tendrás éxito. Por esa razón si vas a construir una vida ideal deberás construir hábitos con el poder de la disciplina. Lo primero es lo primero: construye los cimientos que sostendrán tu mundo. La disciplina —con autoestima y sin autosabotaje— es la mentalidad que sostiene el resto de hábitos.

¿Cómo aplicar esta ley? Cuando consigas hacer algo nuevo, pregúntate cómo hacerlo mejor, no te conformes con un resultado correcto, sube de nivel, pasa de lo aceptable a lo bueno y después a lo extraordinario. Si te conformas con lo aceptable, pronto serás mediocre y serás sobrepasado por los que buscan la excelencia. Esta ley simplemente se aplica pidiéndote más.

He investigado la diferencia entre disciplina y hábito y solo he encontrado explicaciones confusas. Así que reflexioné al respecto y establecí mis propias distinciones (aunque en el fondo son dos conceptos muy vinculados). En este libro te hablaré también de hábitos y pero el tema central de este libro es la disciplina porque es la base de todos ellos.

 Hábito es un comportamiento y disciplina es la actitud de crear hábitos.

También he investigado la diferencia entre objetivo y hábito. Un objetivo debe cuantificarse y tener una fecha asignada. Un hábito no necesita ninguna de esas dos mediciones. Por ejemplo, escribir un libro de doscientas páginas antes de final de año es un objetivo. Y escribir cada día es un hábito. Yo prefiero los hábitos porque permanecen mientras que los objetivos se logran y terminan.

 Hábito es un comportamiento y objetivo es aplicar un hábito a un resultado.

Este no es un libro de cómo lograr objetivos, vamos a ser más ambiciosos al apuntar al dominio del arte de establecer hábitos positivos basados en la disciplina.

Como dije antes, una disciplina es una repetición sostenida de acciones que conducen a fijar un hábito. La disciplina crea el hábito, y a su vez es un hábito. De ahí que sea la base de cualquier hábito deseable. Además, la repetición continuada de la disciplina conduce a un tercer concepto: la mejora continua.

Por ejemplo, yo tengo la disciplina de escribir que he convertido en un hábito en mi vida. Esta práctica —que cuenta con mi deseo de mejorarla de forma continua— desarrolla una habilidad o un talento. ¿Confundido? Lo entiendo. Este esquema te ayudará:

filosofía de vida —> disciplina —> hábito—> habilidad —> talento

Tal vez estamos hablando de lo mismo —o parecido, o relacionado —, un mismo concepto toma diferentes nombres y aspectos en función del contexto en que nos hallamos.

Por ejemplo, cuando era niño me regalaron unos patines de ruedas. Pronto me discipliné a patinar practicando con frecuencia. Al cabo de unos meses, ya tenía el hábito de ir a patinar cada sábado y domingo por la mañana. Iba tanto para aprender como para disfrutar de mi nueva habilidad. Llegada la adolescencia, dejé de lado la afición.

A los treinta años, retomé esta afición y se convirtió de nuevo en el hábito de patinar cada semana, pero esta vez sobre hielo. Como quería mejorar, asistí a varios cursos para adultos de patinaje artístico con lo cual mejoré mi nivel; sin embargo, tuve que dejarlo cuando mis rodillas dijeron basta debido al esfuerzo de efectuar giros muy exigentes; y para evitar entrar en el quirófano, acepté colgar los patines.

Para convertir una habilidad en un talento es necesaria la mejora continua y sostenida, esto es: afinar los hábitos y llevarlos a la excelencia. Ya no es la repetición sino la práctica mejorada. El talento se despierta con la disciplina sostenida y la mejora continua de la habilidad. Un hábito es apenas un comportamiento —todos tenemos comportamientos que se convierten en hábitos— pero si lo refinas llegarás lejos en la ejecución.

Identifica tus hábitos (comportamientos habituales). Haz un triaje (separa el trigo de la paja) y quédate con los positivos. Enfócate y refina los que mantengas (Kaizen).

Después de muchos años como *life coach*, sé que la gente juega un juego pequeño, actúan muy por debajo de sus posibilidades porque se piden poco a sí mismas. La falta de autoestima es frecuente y no se dan permiso para desplegar sus alas y echar a volar.

Sea como sea, atestiguo la falta de una mentalidad ganadora; la gente no sabe exactamente lo que quiere y carece de un plan de acción. Improvisan sin rumbo y van a la deriva, perdidos en el espacio. Pregúntale a cualquiera cuál es su plan para ser rico o para ser feliz, y verás que cara pone. ¡Ni se lo ha planteado!

Si eres como yo, seguro que no cuentas con «padrinos», ni «enchufes», tampoco la suerte es tu amiga, tu IQ —coeficiente de inteligencia— es de lo más normal, no tuviste una educación privilegiada, ni dispones de fondos ilimitados… bienvenido a la normalidad. Lo tienes todo para triunfar pues te tienes a ti, solo a ti, y con eso basta, el resto son detalles. Cuando tu éxito se basa en ti, pero no en nada ajeno e incontrolable, no te podrá ser arrebatado… porque ¡el éxito eres tú!

Empezar desde cero, como todos hacemos (aunque te aseguro que muchos han empezado por debajo de cero, en negativo) es lo normal. Y desde cero solo puedes aferrarte a tu actitud para abrirte camino desde el corazón.

Se ha concluido que la autodisciplina supera en mucho el potencial de un coeficiente intelectual elevado. Es, de largo, lo que más influye en el rendimiento de las personas en todos los ámbitos. Si no me crees, pregúntale a un deportista profesional o a un artista. Y te diré algo más, ¿recuerdas el alumno o alumna más inteligente de tu clase? Pues bien, te aseguro que no es al que le ha ido mejor de la promoción, compruébalo.

¿Cómo lo sé? De mí no se esperaba mucho. Mi curriculum era muy normal, pero hay algo en lo que sí he sido sobresaliente: en poner corazón. En la universidad no evalúan tu pasión, tu coherencia, tu disciplina, tu motivación, tu compromiso, tu paciencia, tu autoestima, tu dignidad… Examinan tu mente, en especial tu memoria, pero no tu corazón. Yo sabía que mi única posibilidad era centrarme en el poder del corazón y por ello aposté. No me ha ido mal. Te hablo de mí porque es el ejemplo que tengo más a mano pero podríamos estar perfectamente hablando de ti o de cualquiera. No somos tan diferentes.

Si te educaron a la vieja usanza, como a mí, pensarás que el camino es desarrollar una hercúlea fuerza de voluntad. Pero luchar es agotador y uno, tarde o temprano, claudica. No creo en la fuerza de la voluntad, solo creo en la fuerza del corazón; el amor es la energía más poderosa del universo y el combustible de la disciplina.

Pronto me di cuenta de que la fuerza de voluntad no me iba a ayudar y la descarté como estrategia. Trabajé en la disciplina, y eso marcó una gran diferencia en los resultados que he obtenido comparados con los de otras personas mucho más inteligentes que yo. En inteligencia me ganan muchos, en corazón muy pocos. Ya sabes, si no tienes cabeza, ¡súplelo con más corazón! No te lo contaron en la escuela porque son fábricas de cerebritos.

Cuando reconoces que dependes de ti y que solo cuentas con tu actitud, te aseguro que exprimes ese limón hasta la última gota. Y el limón se llama disciplina. Cada día exprimo el limón y no dejo ni una gota.

Eso es precisamente lo que yo hice, sacarle partido a mi corazón. No era el más listo de la clase, no obtenía las mejores notas… pero me las arreglé para salir adelante con tesón.

En mi «crisis de los cuarenta» cambié mi destino y me convertí en autor de desarrollo personal. Eso fue en 1995 cuando incluso hablar de yoga estaba mal visto, hoy la sociedad está mucho más abierta. He escrito, con este, treinta y siete libros, he ganado dos premios literarios y he sido número uno en diferentes listas de Amazon incontables veces. Un día soñé y me prometí que viviría de escribir libros delante del mar, y lo he cumplido. Y solo hay un truco: no parar hasta conseguirlo.

¿Suerte? ¿Inteligencia? ¿Buenos maestros? ¿Fondos ilimitados? Nada de eso, cuando empecé solo contaba con mi actitud disciplinada y eso fue lo que me salvó. Por aquel entonces apenas existía Internet, eras tú contra el mundo a pecho descubierto.

Cuando no tienes otros recursos, solo te queda echarle corazón. Y todos tenemos uno. Todos nacimos con un corazón, seguramente será por eso que no necesitamos mucho más, salvo usarlo. Si eres como yo, cuentas con tu corazón para suplir la falta de otros recursos. Y eso se llama actitud, no rendirse nunca, en definitiva: disciplina.¿Tienes corazón? Sin duda y apuesto que late por un sueño, pero... ¿le has dado la oportunidad de vivir para ese sueño?

A ese super poder te encomiendo porque sé que no necesitas otro. Olvídalo, solo necesitas disciplina, el super poder de los super héroes reales. Con eso te basta y te sobra.

 Al reforzar tu disciplina, además de modificar tu cerebro, refuerzas el poder del corazón.

Si yo construyera una casa empezaría por diseñar los planos y después la construiría desde los cimientos. No se me ocurriría empezar por el tejado. Empezaría por lo primero. Primero lo primero. La palabra «primero» es la contraseña del éxito. Para que cada cosa ocurra siempre debe suceder lo «primero». Pregúntate qué es en tu caso, céntrate en eso, olvida el resto, y haz que ocurra lo «primero» y el resto le seguirá.

Del mismo modo si quieres construir un ideal de vida, antes deberás crear los hábitos que la harán real. Y el primero de ellos, es la disciplina, el hábito de todos los hábitos. Es el hábito troncal del que parten todos los demás.

Una vez eres una persona disciplinada, diseñar y activar (apilar) los otros hábitos ganadores que vas a necesitar es más sencillo porque cuentas con el compromiso, la coherencia, la paciencia y la metodología espiritual del éxito.

disciplina —> hábitos positivos —> yo poderoso —> vida ideal

Veamos otro principio que te ayudará en la disciplina fácil y automática.

Quiero introducir un concepto que ha de ayudarte a construir una vida más realizada. Y es «apilar disciplinas», una sobre otra. Y no es más que «copiar y pegar» una disciplina de un área de tu vida a otra. Y así ir sumando disciplinas y apilándolas una sobre otra.

Un ejemplo sería la disciplina de madrugar, sobre la que puedes «apilar disciplinas» de meditar y ejercitarte. Cuando se activa una, se activa la otra, y la otra... al apilarlas forman una secuencia indisociable. Ejemplo de «disciplinas apiladas»:

Madrugar —> Meditar —> Ejercitar

Es decir, ya que has decidido madrugar podrías además hacer espacio a nuevos hábitos positivos, ¿por qué no meditar 15 minutos? Y hecho esto, con el sobrante de tiempo ¿por qué no hacer una serie de asanas de yoga o levantamientos de pesas por 15 minutos más? Son mini hábitos que no cuestan nada pero que sumados cada día consiguen mucho. ¡Y son gratis!

Otra ejemplo de apilar disciplinas podría ser: leer a diario 30 minutos y dedicar otros 15 minutos a resumir lo leído además de otros 15 minutos para repasar lo leído en días anteriores. Ejemplo de «disciplinas apiladas»:

Leer —> Resumir —> Repasar

Ya que has decidido leer, es una pena no recordar lo leído así que resumirlo en unas notas, que puedas repasarlas unos días después, aumentará tu memorización de lo leído.

Otro ejemplo, en el campo profesional, es dedicar una hora al día a mejorar tus productos y/o servicios. Y ya que aumentas el valor de lo ofrecido, ¿por qué no publicitar y promocionarlo dedicándole una hora al día a promocionar tu oferta profesional?

Y ya que estás aumentando tus ingresos, ¿por qué no pensar en una nueva fuente de ingresos? Y dedicarle una hora al día a imaginarlas. Ejemplo de «disciplinas apiladas»:

Mejorar —> Promocionar —> Reinventar

En estos tres ejemplos, de lo personal a lo profesional, hemos apilado tres disciplinas (podrían ser más) y les hemos asignado un espacio o tiempo no excesivo pero suficiente como para hacer una gran diferencia a medio plazo.

Tal vez te recuerde a la filosofía japonesa del Kaizen: pequeñas mejoras continuas. Y en parte así es; la cultura oriental es muy disciplinada en todo y su actitud se resume en filosofías como la del Kaizen; pequeños pasos hacia grandes mejoras.

Grandes objetivos, alcanzados con pequeños pasos.

Piensa a lo grande, actúa a la japonesa, concédete la vida que sueñas. Toma decisiones, da micro pasos hacia resultados extraordinarios. Apila disciplinas para que se refuercen entre sí.

Quédate con esta idea, «apilar disciplinas», crear cadenas de comportamientos que se refuerzan unos a otros porque son eslabones de una misma cadena.

En mis ejemplos personales, arriba descritos, verás que yo trabajo con pilas de tres disciplinas porque de tres en tres es fácil encadenarlas. Además, tres me parece un numero sagrado, alcanzable y poderoso. Las tríadas de disciplinas son muy adecuadas para «apilar disciplinas».

apilar disciplinas = disciplina 1 + disciplina 2 + disciplina 3

En seguida nos damos cuenta que «apilar decisiones» conduce a «apilar disciplinas» que conducen a múltiples resultados. Es la misma diferencia que hay entre explotar un petardo o una traca. ¡Que empiece el castillo de fuegos!

No esperes a implantar buenos comportamientos cuando todo vaya bien y tengas una buena vida. Es al revés, construye las disciplinas, en tríadas apiladas, sobre las que se asienten los hábitos positivos que construirán tu vida ideal. Vuelve a leer esta última frase porque es la clave de una vida lograda.

Llegará un día en que entenderás lo siguiente... Creíste que construías buenos hábitos, pero lo cierto es que tus hábitos te construyeron a ti; y finalmente crearon tu sueño en el tiempo que se tarda en parpadear.

Tu sueño aparece como una estrella supernova que ilumina el cosmos.

La disciplina significa ser «discípulo de», ¿discípulo de qué? De lo que desees aprender y llevar a la maestría. Puedes ser un aprendiz de todo lo que mejore tu vida.

Veámoslo...

RAIMON SAMSÓ
ABRAZA LO EXTRAORDINARIO

EL HÁBITO DE TODOS LOS HÁBITOS

LA DISCIPLINA CREA EL HÁBITO

EL HÁBITO CREA LA HABILIDAD

DISCIPLINA VS. FUERZA DE VOLUNTAD

APILAR DISCIPLINAS

+CORAZÓN -RAZÓN

CAPÍTULO 3
DISCÍPULOS DEL MATERIALISMO

EXPERIMENTAS LO QUE CREES

LA «LEY DE LA CORRESPONDENCIA» establece que tu mundo exterior es un calco de tu mundo interior, tu entorno material refleja cada aspecto de tu mente, corazón y espíritu. Lo que sea que veas ahí, se fraguó antes en ti de alguna manera. Las experiencias se han sembrado en esta o en una vida anterior. Lo que sucede y lo que no sucede se corresponde con las semillas plantadas.

Mira a tu alrededor y busca los patrones que se repiten. Adquiere el hábito de establecer correspondencias entre fruto y semilla, al poco sabrás de dónde vienen tus experiencias y sabrás cómo corregirlas.

¿Cómo aplicar esta ley? Busca la causa de los efectos, pues todos los efectos tienen una causa, sea visible o no. Pregúntate: «¿Qué ha causado esto?». Ve al origen, al principio, a la raíz, a la semilla. O también ve al final: ve al fruto y sigue hacia atrás. Conozco otro camino y que básicamente pretende exagerar la cosecha conseguida para evidenciar las semillas que la creó.

También puedes empeorarlo todo para ver lo que no debes hacer... Sí, has leído bien: empeorar el resultado... para averiguar las causas y revertirlas.

Me explico, a veces no sabes qué quieres, pero sí sabes lo que NO quieres. Otras veces, no sabes lo que funciona, pero sabes muy bien lo que NO funciona. Creo que ya sabes a dónde voy a parar. Pregúntate qué «contra hábitos» o «disciplina negativa» boicotean tu objetivo.

Por ejemplo, si lo que quieres es mejorar tu forma física, sabes que lo que NO te ayuda es:

- saltarte el entrenamiento demasiadas veces;
- entrenar solo;
- no seguir un programa personalizado;
- entrenar en horas aleatorias / inadecuadas;
- carecer de un motivo;
- etc...

Una vez sabes lo que NO te ha funcionado, puedes invertirlo para que se convierta en una palanca. En nuestro ejemplo:

- recuperar las sesiones canceladas;
- entrenar con otras personas o con amistades;
- contar con un programa personal bajo seguimiento;
- dedicarle un horario regular e infalible;
- tener presente la razón y el objetivo;
- etc...

Ya lo has pillado.

Sabes lo que NO funciona, pero no sabes lo que SÍ funciona (de otro modo, ya lo habrías conseguido). Y lo que necesitas es invertir las recetas fallidas para obtener recetas infalibles. Cuando sabes lo que quieres —y cómo conseguirlo— tienes el mapa del tesoro. Demasiadas personas fallan no porque no pueden disciplinarse, sino porque carecen del mapa del tesoro.

Ahora toca hablar del gran archienemigo de la disciplina: la postergación. La táctica dilatoria para dejar en suspenso la decisión de pasar a la acción. Sabrás que te tienes este mal si dices o piensas cosas tales como: «Algún día…», «Se arreglará por sí solo…», «Me gustaría…», «Espero…», «Estoy en ello…», «No tengo tiempo de…», todos estos son síntomas de comportamientos dilatorios. Y tienen en común la esperanza de que las cosas mejoren por sí solas sin hacer nada al respecto. Pero ninguna de esas actitudes condujo a nadie a conseguir sus sueños, seamos sinceros.

¿Cómo sé si estoy postergando? Conozco un síntoma de postergación, enemigo mortal de la disciplina, muy común: el aburrimiento. La gente disciplinada empieza y acaba tareas, no tienen tiempo de aburrirse, están muy ocupados construyendo su felicidad. Si te aburres, no te engañes, estás postergando la creación de una vida tan intensa en la que no te sobre ¡ni un segundo!

La felicidad vibrante no es aburrida, solo la mediocridad lo es.

Postergar es un autoengaño, es autojustificarse que se hará algo en el futuro, y con esa excusa en mente, uno puede seguir su vida sin remordimientos por no hacer nada de nada en el presente. Algo así: «Sé que debo hacer esto… pero no me apetece (no sé cómo, no me gusta, es difícil, me da miedo)… ya lo haré en el futuro». No cuelgues el letrero «Hoy no, mañana» en tu mente.

El único remedio para la postergación es la aplicación del adagio —como una cataplasma mental—: «No dejo para mañana lo que puedo hacer hoy». Ese sí es un buen letrero. De hecho, el mejor momento para cualquier cosa fue ayer, o incluso antes. ¡Ya vamos tarde!

Las razones del postergador «nivel pro» son variadas:

- no hay que cambiar nada;
- contar con una excusa;
- poder quejarse de todo;
- crear esperanzas vanas;
- acallar el remordimiento;
- hacer responsables a otros;
- vivir pasivamente;
- encubrir el miedo;
- justificar la mediocridad;
- evitar el error y el fracaso;
- evitar la responsabilidad del éxito;
- etc...

Pero no nos engañemos, esas estrategias fallidas tienen un precio elevado: renunciar a una vida más completa e ideal. La única opción que conozco a este callejón sin salida, que conozco es tomar la lista de pendientes y liquidarla sin contemplaciones. Cada pendiente o se hace ya, o se delega a alguien más o se renuncia a ello. Eliminar los pendientes y tacharlos de la lista supone sacarse un peso tan grande de encima como sucede después de tirar la bolsa de basura en el contenedor.

En efecto, seamos sinceros, la lista de pendientes es una enorme y maloliente bolsa de basura.

Volviendo a la disciplina, he de reconocer que de algún modo todos somos disciplinados, lo que ocurre es que lo somos ¡en cosas diferentes! Cambia mucho ser disciplinado en «hábitos negativos» que conducen al auto sabotaje que ser disciplinado en «hábitos positivos» que llevan a la autoestima.

hábitos negativos —> autosabotaje
hábitos positivos —> autoestima

De ahí el subtítulo de este libro: más autoestima y menos autosabotaje. Si la gente se quisiera un poquito más, dejaría de fastidiarse la vida con sus excusas y autoengaños. La vida no es tan difícil, más bien nosotros lo somos porque nos resistimos. Pero, ¿sabes qué? Cuando dejas de ser una persona difícil, la vida empieza a ser muy fácil y todo fluye.

 Todos tenemos hábitos pero son de diferente signo.

O te quieres o no te quieres, o te saboteas o te disciplinas.

Vives entre dos partidas simultaneas y permanentes: una interna y otra externa. El resultado de la primera determina el resultado de la segunda. Cuando te miras al espejo te enfrentas al autosaboteador que creará más resistencias a lo que quieres. Pero cuando cambias tu juego interno, y vences la partida interna, la externa está casi ganada. Jaque mate.

Y el único modo de saber qué estás haciendo con tu vida es observar tus actos y comportamientos. Mejor aún, observar tus resultados, ya que estos nunca engañan. Experimentas lo que crees. Puedes contarte muchas *milongas* pero lo que pienses, o digas, no sirve de nada, lo que cuentan son los hechos.

Repito: los hechos no engañan, si no te va bien en algún aspecto de tu vida es porque no te amas lo suficiente y no te concedes lo que deseas.

Un simple cambio de hábitos bastaría para cambiar el juego y el desenlace de la partida. En lugar de atacar un mal hábito resulta mejor edificar uno bueno. No te sugiero que luches *contra* lo que NO deseas, mejor lucha *por* lo que deseas. En lugar de tratar de eliminar un hábito negativo, podrías enfocarte en sustituirlo por uno positivo. Es un cambio de estrategia poderoso: en lugar de destruir mejor sustituir.

Veamos otro principio que te ayudará en la disciplina fácil y automática.

Es hora de presentar el «cambiazo». Exacto, nada de luchar contra los hábitos negativos (alguno tendrás seguro), sino cambiarlos por otros positivos. Me parece más alentador estar a favor de los buenos hábitos que estar en contra de los malos hábitos.

Dale un «cambiazo» a tu vida; en vez de destruir, sustituir.

Por ejemplo, estos son algunos cambiazos en mi vida:

- Desayunaba bollería, ahora desayuno huevos y fruta. Eso es un buen cambiazo.
- Leía novelas, ahora leo ensayos. Eso es un buen cambiazo.
- Veía la TV, ahora busco la verdad. Eso es un buen cambiazo.
- Buscaba mejores empleos, ahora busco mejores negocios. Eso es un buen cambiazo.

- Me guiaba por el ego, ahora sigo a mi corazón. Eso es un buen cambiazo.
- Necesitaba aprobación ajena, ahora vivo en la coherencia. Eso es un buen cambiazo.
- Invertía en bolsa y planes de pensiones, ahora en riqueza real. Eso es un buen cambiazo.
- Tomaba medicinas para sanar, ahora me nutro para no enfermar. Eso es un buen cambiazo.
- Seguía algún deporte como espectador, ahora yo soy el deportista. Eso es un buen cambiazo.
- Era dócil, ahora soy un rebelde en la resistencia. Eso es un buen cambiazo.
- Votaba en las elecciones, ahora desprecio a la mafia política. Eso es un buen cambiazo.
- Leía revistas superficiales, ahora leo libros profundos. Eso es un buen cambiazo.
- Decía «sí» con facilidad, ahora digo «no» sin titubear. Eso es un buen cambiazo.
- Me premiaba por hacer lo que no amaba, ahora el premio es hacer lo que deseo. Eso es un buen cambiazo.
- Me callaba para no incomodar, ahora no me callo nada. Eso es un buen cambiazo.
- Etc…

Vivía del revés, no entendía nada, pero le di a todo un giro de 180° y lo puse todo al derecho, ahora sí entiendo. Tu vida no mejorará hasta que no la pongas del revés (es decir, del derecho) porque has vivido del revés en casi todo. Es una de las estrategias de los amos del mundo para convertir este planeta cárcel en un planeta manicomio. ¿Y tú? ¿Ya te apuntaste al «cambiazo» de tu vida? Pégate un buen cambiazo.

Por ejemplo, si a media mañana tienes un bajón y necesitas comer algo, puedes cambiar la calidad y cantidad de tu snack, eso podría mejora tu hábito de picar entre horas. Y no se trata solo de cambiar tu respuesta, comer, sino de mejorar tu respuesta (lo que comes). No es lo mismo hacer una pausa para tomar un *croissant* con café que parar para tomar un batido de proteína o un zumo verde. «Cambiar para mejor» (de ahí la palabra *cambiazo*) es el matiz que construye una vida más lograda. Un cambio es una sustitución, un «cambiazo» es una mejora significativa. De lo normal a lo extraordinario.

 Cambia lo malo por lo bueno; y despúes, lo bueno por lo extraordinario.

Por ejemplo, si eres perezoso a la hora de hacer ejercicio, no trates de corregir la pereza con trucos, mejor enamórate de algún tipo de ejercicio (el que sea) y lleva esa pasión a la acción. En mi caso me enamoré de las pesas rusas o *ketellbells* y de dar paseos. En eso me desenvuelvo bien a diario y lo disfruto. Son dos hábitos que no me cuestan nada: mover pesas y andar. No necesito disciplina, solo necesito querer pasarlo bien. ¿Entiendes por qué digo que si la gente se amase más, se disciplinaría más?

Pasé de no hacerlo en absoluto a hacerlo de vez en cuando; y poco después a hacerlo cada día. Cuando practicas cada día, obtienes el pasaporte a lo extraordinario. En mi ejemplo, pasé de tener dolor de espalda frecuente a su desaparición. Al ejercitar los músculos de la cintura —y otros muchos más que apenas usaba —, mi espalda dejó de esforzarse y por tanto de dolerme. ¿No te parece suficiente motivación? Unos minutos de pesas a cambio de un dolor de espalda crónico, ¡es un buen negocio!

Al final, se trata de responder con sinceridad una sencilla pregunta, una y otra vez: «¿Cuál es la mejor decisión ante esta situación?». Y como todos ya sabemos qué nos perjudica y qué nos beneficia, se trata de elegir el mayor bien para uno mismo. Y dar el «cambiazo»: un cambio con mejora incluida. Eso es autoestima.

El proceso es sencillo:

- Sustituye tus hábitos negativos por otros positivos (lo contrario).
- Encuentra la diversión en el hábito positivo.
- Incorpóralo en tu agenda diaria como un automatismo.

Haz lo indicado arriba en todos los aspectos de tu vida en los que quieres mejorar. Y eliminarás la necesidad de tomar millones de decisiones; y lo que es más importante, ¡te librarás del riesgo de tomar malas decisiones a cada momento!

Al principio, el proceso es consciente y necesita de la atención enfocada, hay que concentrarse. Por ejemplo, cuando aprendemos a conducir un automóvil. Después con la repetición, nos relajamos, fluimos, y la acción se hace inconsciente.

actividad consciente —> repetición —> actividad inconsciente

El resultado es un hábito. Esto explica que tengamos tanto hábitos positivos como negativos, la repetición los instala en nuestro comportamiento, ya sea que los queramos o no. Están enquistados, son impulsivos; y al ser inconscientes, incontrolables.

Ahora bien, si queremos corregir un mal hábito, deberemos regresarlo del inconsciente al consciente. No puedes vencer a un enemigo que desconoces. Entonces, cuando entendemos lo que nos estamos haciendo a nosotros mismos, dejamos de autosabotearnos (a no ser que alguien se odie a sí mismo y sea masoquista). Y decides no hacértelo más, entonces un buen día dejas de atacarte.

Aclaremos esto:

Es duro saber que en lugar de víctima fuiste verdugo (autosaboteador), pero este libro ha sido escrito para despertar conciencias y cambiar el juego de forma radical. No me ando con sutilezas para no alimentar el victimismo y sé que nada es más revelador que la crudeza.

Acéptalo cuanto antes: nadie te hizo nunca nada, todo te lo hiciste tú a ti mismo.

Aquellos que de verdad se tengan autoestima, que no lo digan, que lo demuestren con hechos. De ahí la estrategia de la disciplina con autoestima y sin autosabotaje. Hechos, nada de palabras.

Mira la siguiente ecuación del «paradigma materialista» en el que vive sumido el 80% de la humanidad:

**materialismo —> adicción —> hábitos negativos —>
autosabotaje**

Ahora entenderás por qué tantas cosas salen mal a los que les va mal. Viven en un mundo mecanicista donde apenas son un resorte. Pero hay otra forma de ver las cosas, más de esto en el próximo capítulo. Sí, hay otra forma de plantearse la vida y te la mostraré en el siguiente capítulo con el «paradigma espiritual».

Veamos otro principio que te ayudará en la disciplina fácil y automática.

El éxito deja rastros, síguelos hasta llegar a la fuente donde nacen toda clase de bendiciones. Cuando he tratado de hacer «ingeniería inversa» (partir del resultado hasta llegar a sus causas) de los logros y éxitos, me he encontrado siempre con lo mismo: actitud, compromiso, buenos hábitos, disciplina ilimitada, metodología, *kaizen*, coherencia, cierta mentalidad y espiritualidad.

Empieza apuntando al final y ¡no te podrás equivocar de resultado o destino! Cuando imaginas, y sientes el resultado final antes de empezar, activas el mecanismo del éxito, por anticipado. Creas tu sueño en el mundo porque activas la «Ley de la manifestación» (más sobre este tema en mi libro «El Código de la Manifestación»).

¿A dónde vas? ¡Allí!

¿Cómo llegarás? ¡Trazaré un camino!

¿Cómo no perderse? Porque *estuve* allí.

Y empiezas el camino desde *a dónde vas* hasta *dónde estás* (sentido inverso, ingeniería inversa). ¡Así no hay modo de perderse! Eso es la «ingeniería inversa» aplicada a tus objetivos personales. No es un método baladí. Si lo aplica la inteligencia militar de Estados Unidos —para descifrar el funcionamiento de los OVNIS capturados—, ¿entonces cómo no la vas a usar tú que también quieres llegar a las estrellas?

La «ingeniería inversa» permite vislumbrar el pasado del futuro: darse un paseo por el futuro, regresar al presente y activar ahora los comportamientos que conducen inequívocamente al futuro ideal. Los *sherpas* nepalíes también usan este sistema para encontrar el mejor modo de abordar una cima. Algunas novelas memorables se han escrito de atrás hacia adelante. El *coaching* también trabaja con esta metodología...

Otra técnica de «ingeniería inversa» —para el logro de disciplina— es leer libros de gente exitosa y modelar cómo es, cómo piensa, qué sabe y cómo se comporta. Vislumbrar qué clase de persona es capaz de lograrlo nos da pistas de qué necesitamos desarrollar en nosotros para conseguir lo mismo.

Eso es modelar el éxito. Porque no solo deja rastros, también sigue modelos predecibles. Si quieres ampliar este tema, te sugiero que leas el apartado de «espiritualidad inversa» de mi anterior libro: «El poder de la disciplina» el cual no puedo incluir aquí para no repetirme.

En resumen, los logros en el mundo exterior son un reflejo de los logros en el mundo interior. La película que ves representada en la pantalla es una proyección de la consciencia en la sala de proyección. Cuando ignoras la relación entre *cuerpo-mente-espíritu*, descartas el mayor poder del cosmos: la consciencia. Y vivir al margen de la espiritualidad es renunciar al poder divino que te asiste con solo solicitarlo. Desde ahí no te extrañe que todo sean tan difícil. Pero hay solución y ahora la conocerás.

Revisa el resumen y pasa al siguiente capítulo...

RAIMON**SAMSÓ**
ABRAZA LO EXTRAORDINARIO

INGENIERIA INVERSA

MATERIALISMO

CAMBIAZO

AUTOSABOTAJE CONSCIENTE

AUTOSABOTAJE INCONSCIENTE

REPETICIÓN

CAPÍTULO 4
DISCÍPULOS DE LA ESPIRITUALIDAD

CONSIGUES LO QUE ERES

LA «LEY DE LA IDENTIDAD» establece que tu mundo exterior es una proyección de ti. Llega un momento en la vida en el que ya no puedes engañarte más con lo que te cuentas, y averiguas que tu destino depende de la clase de persona que eres. Lo que sea que veas ahí, es lo que eres.

Mires a donde mires, te verás a ti en una y muchas formas como su creador. Entonces, si quieres obtener algo diferente, deberás «ser una persona diferente». La correspondencia es directa. Lo que ves es lo que eres y ...

 Consigues lo que eres, no lo que quieres.

¿Cómo aplicar esta ley? Cuando quieras conseguir algo diferente no te preguntes ¿cómo?... (esto es lo que siempre me preguntan a mí, me piden «el cómo»). Esa es una mala pregunta. Has de preguntarte: «¿En quién me he de convertir para conseguirlo? o ¿Quién debería ser yo para lograrlo?». Es una cuestión identitaria, de personalidad, no de procedimientos. El cómo estará disponible cuando seas la persona adecuada, pero no antes.

No necesitas un «cómo» para empezar, ¡necesitas un «quién»!

Cuando me refiero a un «quién» me refiero a tu personalidad, al constructo mental identitario o ego que opera en tu sala de mando. Un poco más abajo, en tu corazón, el «Yo real» no necesita construirse ni mejorarse, simplemente *es* la perfección, otra cosa es que el «Yo real» se mantenga en un segundo plano eclipsado por el ego.

En este capítulo vamos a ponernos místicos y examinar la disciplina con autoestima y sin autosabotaje desde la perspectiva espiritual.

Imagina una llave maestra en tu mano. No es una de metal al uso, está hecha de ¡luz! y abre un baúl holográfico frente a ti. En él están encerrados los sueños de toda una vida esperando que los rescates y les des vida. Mientras abres el cerrojo sientes como el poder del cosmos se alinea a tus propósitos. La llave maestra es puro amor y se manifiesta en la forma como disciplina. De lo que deduces que la disciplina es llave maestra que consigue tus sueños.

Pero si es tan sencillo, ¿por qué no usé mi llave maestra antes?, te preguntarás. Recuerda bien esto que leerás a continuación: la disciplina se activa cuando tus necesidades espirituales son mayores a tus necesidades materiales. Cuando honres más a tu espíritu que a cualquier logro material… entonces la disciplina, como un acto de amor, bendecirá tu vida.

necesidades espirituales > necesidades materiales

(Se lee: las necesidades espirituales son mayores a las necesidades materiales).

La indisciplina es un claro síntoma de materialismo, de una personalidad más mental que espiritual, de ausencia de vida interior y adicción a lo exterior. Es una falta de amor esencial. Si la gente eligiese el amor en lugar del miedo, la disciplina sería habitual. Sabríamos siempre qué queremos y lo daríamos todo por lo amado porque el amor real actúa así. El hambre espiritual nos aleja de la disciplina. No necesitas forzarte, necesitas amarte. Corolario:

Una persona espiritual no tiene vicios ni malos hábitos porque en su cosmovisión no cabe ni como remota posibilidad. En consecuencia, no se maltrata.

Una persona espiritual no tiene que obligarse a comer bien, aprender, cuidarse, dar lo mejor… todo eso es consustancial a su nivel de conciencia. Le es imposible autosabotearse porque se respeta.

Una persona espiritual conecta con la esencia sagrada y divina que habita en ella y eso descarta la falta de autoestima que conduce a la indisciplina.

En fin, como has leído en la portada del libro: «más autoestima y menos autosabotaje». No hay vuelta de hoja.

Los problemas de indisciplina no se resuelven con cambios forzados de comportamiento, sino con un cambio de mentalidad (un nivel de conciencia más elevado) y un ego más pequeño. Por ejemplo, yo no puedo ser indisciplinado porque en el paradigma espiritual en el que vivo, la disciplina es instantánea, automática e inevitable. Es un nivel de conciencia y una forma de estar en el mundo. No tengo, ni quiero, otra opción.

Los cambios desde el comportamiento cuestan sudor y lágrimas, pero los cambios desde el espíritu son un gozo y están guiados por la «gracia espiritual». Y aquí llegamos a una de las claves en la disciplina: la «gracia» que manifiesta la espiritualidad. Sin este factor profundo y místico, se vive en un mundo de lucha y sufrimiento.

Sin embargo, cuando te gobiernas por las leyes espirituales de las tradiciones de sabiduría ancestrales, la disciplina es el único curso de acción posible porque está basado en el amor y no en el miedo. Relee esta frase porque es la clave del presente capítulo. La «gracia espiritual» es la causa de la disciplina y no la fuerza de voluntad ni el sacrificio. Hasta que no le das este giro, no te interesas por la disciplina gozosa porque ¿quién en su sano juicio querría adentrarse en el sufrimiento?

Y aquí va otro mensaje importante —redoble de tambores— para recordar:

 La espiritualidad es el ingrediente mágico para la disciplina fácil y automática.

Demasiadas personas viven al margen su espiritualidad y así les va. No me refiero a religiosidad, sino a algo más intimo y profundo. Añadir el factor espiritualidad cambia las reglas de juego y el juego mismo. Con franqueza, esta es la ecuación del paradigma desde el que vive solo un 20% de la humanidad es:

espiritualidad —> elección —> hábitos positivos —>

autodisciplina

Lo cual es muy diferente a lo que vimos en el capítulo anterior, la ecuación del «paradigma materialista» en el que vive sumido el 80% de la humanidad:

materialismo —> adicción —> hábitos negativos —> autosabotaje

¿Ves la enorme diferencia?

Ahora entenderás por qué las cosas les salen bien a unos pocos y les salen mal a la mayoría. Los pequeños milagros no son fruto de la casualidad, o el designio divino para unos elegidos… es un auto regalo para quien se respeta y elige darse lo mejor, sin importar lo que cueste o lo que tarde.

El camino espiritual conduce a alcanzar un estado de «gracia espiritual» donde todo es posible, el círculo virtuoso. En lugar de conquistar el mundo, los disciplinados se centran en conquistarse a sí mismos. La vibración elevada en la que envuelven sus asuntos mundanos es precisamente el estado de «gracia espiritual» que activa la causa de todas las cosas deseadas.

Si desde un paradigma materialista, todo es una lucha y se vive a menudo desde la «desGracia» (ausencia de «gracia espiritual»), en el paradigma espiritual se experimenta la bendición de la «Gracia». Experimentar la «gracia espiritual» no es algo que uno pueda darse a sí mismo, pero sí que puede recibir. No debería ser un estado extraordinario, sino el estado ordinario del ser humano. Solo cuando se recupera la «gracia espiritual», la disciplina sin límites es posible.

La «gracia espiritual» supone ausencia total de esfuerzo. Es la facilidad absoluta. Cuando entras en estado de «gracia espiritual», tienes poco que hacer pues todo ocurre por sí mismo. Ese estado de gracia es un nivel de conciencia que te deja a las puertas mismas de los milagros espontáneos e inevitables. Por decirlo de una forma sencilla, las cosas buenas simplemente ocurren a las personas disciplinadas.

En mi anterior libro «El poder de la disciplina» desvelé las tres leyes espirituales de la disciplina, y el presente *Código de la Disciplina* no estaría completo sin recordarlas e incluirlas, así que ahí van para quienes no las conocían y para quienes las recordarán:

1. Tú te das todo a ti, cuando te disciplinas.
2. Tú no haces nada, todo se hace a través de ti.
3. Tú caminas en los brazos de Dios, Él te guía.

Repasemos estas tres leyes espirituales:

Ley número uno: "Tú te das todo a ti, cuando te disciplinas". Lo que consigues es porque tú te lo diste, nadie puede darte nada ya que todo es fruto de tus méritos pasados y presentes. No pidas a nadie lo que quieres de la vida. Levántate cada mañana y trabaja hasta conseguirlo. No puedes robarlo, no puedes pedirlo, no puedes ganarlo, solo puedes concedértelo.

Ley número dos: "Tú no haces nada, todo se hace a través de ti". A pesar de trabajar en tus sueños, solo puedes trabajar en la sustancia aparente de tus sueños. A un nivel más profundo, algo hace no sabemos qué y lo hace a la perfección. Deja que la inteligencia del *orden implicado* invisible se desenrolle para que el *orden explicado* visible se manifieste.

Ley número tres: "Tú caminas en los brazos de Dios, Él te guía". Si supieras en brazos de quién avanzas, estarías sereno y confiado porque sabrías que jamás podrás fallar si a ello te confías. Solicita guía para cada paso que des, ten el coraje de seguir el camino del corazón. No es un acto de fe ciega, religiosa, es espiritualidad práctica aplicada.

Tal vez lo anterior te suene muy esotérico, pero aun así es real y práctico. Funciona. Según entiendo, algo hace no sabemos qué ni cómo para que las cosas sucedan de la mejor manera y en el momento oportuno. Y es la perfección absoluta.

 Algo hace no sabemos qué. Y lo hace a la perfección.

Si has leído la biografía de Nicola Tesla, cosa que te apremio a hacer cuanto antes, sabrás que él descubrió la energía ilimitada y gratuita disponible en el éter. Por cierto, esa tecnología fue suprimida y ocultada para que la humanidad siga pagando por energías caras y contaminantes. Pues bien, la disciplina es un símil de esa energía disponible e ilimitada del éter, y su fuente es el amor. Conecta con el amor y recibe la disciplina ilimitada.

El amor por ti, el amor por tu sueño, el amor por los demás… es la fuente de donde procede y se nutre la disciplina, la cual es accesible a cualquiera y de forma ilimitada. Una madre y un padre no son disciplinados con su criatura, no les hace falta, lo hacen todo por amor, es instintivo. Si amas lo que haces de la misma manera, operarás de la misma manera. La fuerza de voluntad, la falsa disciplina, es para los que carecen amor.

Espero que no hayas elegido este libro para tratar de ser disciplinado aprendiendo cuatro truquitos de poca monta. Hay por ahí un montón de libros sobre este tema que invitan a hacer demasiadas tonterías (listas de tareas, recordatorios, contratos con uno mismo, diarios de seguimiento, auto recompensas y castigos...). Pero este libro es serio y te propone una transformación personal de calado.

Tratar de conseguir algo diferente en tu vida siendo tú la misma persona de siempre... eso sería una autoestafa. O como dicen: hacerse trampas en el solitario. Hay una clase de persona que puede conseguir lo que tú quieres y has de convertirte en ella para lograrlo. Cuanto antes empieces esa transmutación, mejor para ti. Despide a tu «yo indisciplinado». No te protege de nada, es un lastre inmenso en tu vida.

En este libro vamos al fondo de la cuestión... la mente no puede ser disciplinada porque es como un mono saltarín (pregúntaselo a cualquier budista), pero el espíritu es ecuánime y balanceado. La disciplina no está en la mente sino en el corazón. Permite que tu cabeza piense y decida, pero guíate siempre por la última palabra del corazón. Y actúa siempre desde el amor, nunca desde el miedo.

Sé que todo esto puede sonar muy esotérico pero hasta que no lo entiendes de verdad y lo aplicas de verdad, las cosas no cambian. Tal vez ya me conozcas. Mis libros son cortos, directos y profundos porque no quiero hacer perder el tiempo a mis lectores. No escribo tochos indescifrables y contradictorios. No escribo con un vocabulario y sintaxis para impresionar. Voy al grano. Esa es la marca de la casa. Sé bien lo que me funciona a mí y a mis clientes y lo revelo. Yo mismo estoy harto de leer libros que solo hacen peregrinas disgresiones que no entiende nadie y que provocan pérdidas de tiempo y crean desesperanza.

Siempre he dicho que quien no entiende un tema no es capaz de explicarlo de forma clara y entendible. Pero cuidado… A los que me acusan de vender humo, les diré que el humo se disipa muy pronto, y yo llevo en este oficio unos treinta años. Demasiado tiempo como para mantener una cortina de humo. Tal vez el humo sea del canuto que se están fumando.

Esta lectura pretende conducirte a una transformación personal tan revolucionaria que la disciplina sea el más pequeño de tus logros. ¿Autodisciplina? Un día te parecerá calderilla, migajas, *peanuts*… Quiero llevarte al estado interior donde la motivación y la disciplina son innecesarias, ridículas y están obsoletas. En efecto, la disciplina que tanto necesitas hoy un día será innecesaria porque la indisciplina no será ni una posibilidad.

Pero para llegar a ese estadio, primero has de conquistar la disciplina como hábito mundano para darte cuenta después que tu nuevo nivel de conciencia ¡la lleva incorporada! y es fácil y automática. Y lo que queda es la disciplina de saber qué es para ti y qué no es para ti. Cuando sabes discernir entre la verdad y la falsedad, te adhieres únicamente a lo auténtico.

Entonces conquistas la «disciplina natural» en un estado de conciencia donde no hay nada entre lo que elegir (esto o aquello). Solo hay un camino, el camino del amor del que se es discípulo y en el que la indisciplina ni siquiera existe como posibilidad. En la nueva dimensión, la disciplina forma parte de la nueva conciencia.

Pasa página, sigamos avanzando…

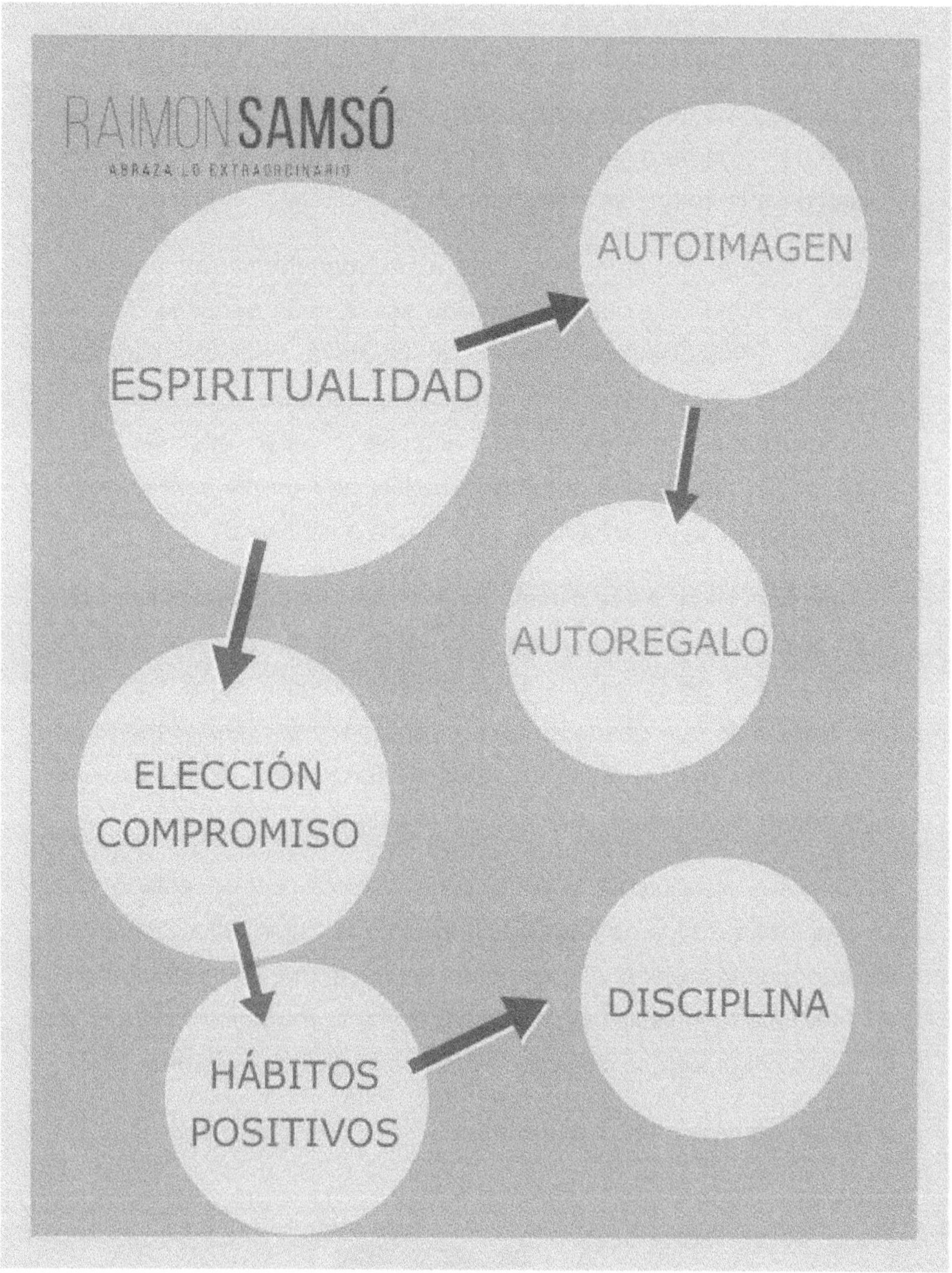
RAIMON SAMSÓ
ABRAZA LO EXTRAORDINARIO
ESPIRITUALIDAD
AUTOIMAGEN
AUTOREGALO
ELECCIÓN
COMPROMISO
HÁBITOS
POSITIVOS
DISCIPLINA

CAPÍTULO 5

DISCIPLINA EN ACCIÓN
HÁBITOS, TAREAS Y RUTINAS

LA «LEY DE ACCIÓN PRIORITARIA» establece que una vez identificado aquello que es, o contribuye, al objetivo número uno, aplicarse a esa tarea de forma ininterrumpida, constante, regular, y con buen ritmo hasta el final, conduce al éxito. Hacer lo que cuenta parece una obviedad pero es asombroso las veces que se nos olvida.

Según esta ley, en mi experiencia como escritor, es de máxima importancia la acción ininterrumpida y mantener el ritmo. No creo en las arrancadas y frenadas, es mucho mejor un ritmo suave pero constante en la tarea. Aquí la clave es mantener el mejor ritmo posible. Procurarse el impulso genera una oleada de energía que alienta a concluir lo empezado.

¿Cómo aplicar esta ley? Baja a picar piedra a la mina, cada día. No de vez en cuando, no unos días mucho y otros poco, no cuando te apetezca... Baja cada día a la mina y pica piedra. Sé suave como una gota de agua pero insistente en tu acción como la gota de la estalactita, hasta que construyas las columnas que sostendrán tu vida.

Crear impulso y mantener el ritmo es, tal vez, uno de mis mejores secretos para poder escribir un libro en un mes, publicar seis títulos nuevos en un año, o contar con treinta y siete libros escritos. Sé que son cifras mejorables pero no olvidemos que mi principal tarea no es escribir, sino leer, en eso mis cifras son bastante impresionantes.

Antes de entregarte el método de «disciplina fácil y automática» que te prometí (eso ocurrirá en el próximo capítulo), permíteme desarrollar en el presente capítulo cuatro principios que se combinan en el código de la disciplina: «Decisiones programadas», «Acción inmediata», «Cambios de una acción» y «Hacer lo que temes». ¡Veámoslo!

Tomar decisiones es una ciencia y tiene sus reglas, yo observo estas:

Tomar decisiones implica autoconfianza, asumir riesgos y responsabilidades. Confiar en uno mismo no nos otorga la infalibilidad, pero si la responsabilidad. Cuando decides y actúas, asumes que habrá errores (los mínimos) y también aciertos (los máximos).

Tomar decisiones libera energía, mantener la indecisión consume energía. La indecisión es un círculo viscoso y vicioso que te atrapa y drena la energía con lo que se carece de empuje para decidir y salir de ese bucle. Un curso de acción es empoderador al margen de su resultado.

Tomar decisiones nos da coraje, nos permite avanzar, crear y seguir un plan, y le muestra al mundo que vamos a alguna parte. No te puedes ni imaginar la cantidad de puertas que te abres al estar en movimiento.

Tomar decisiones te lleva del estado «off» al estado «on». Estás en modo encendido, activado, que contrasta con el modo en que está la mayoría: están apagados. No emiten luz.

Tomar «decisiones programadas» te permite elegir una vez y olvidarte. Evita dudas e indecisiones, ahorra tiempo, conduce a centrarse en lo que importa. Alargar el proceso de pensar más allá de lo necesario, al estilo rumiante de las vacas, solo conduce a hacerse rollos mentales.

Cuando tomes una decisión, que se convierta en una «acción inmediata». Empieza cuanto antes, no te demores, actúa antes de 24 horas o la decisión se difuminará en el éter. Mi lema es: «Sé impaciente en empezar y paciente en acabar». Empezar le dirá a tu subconsciente que ya estás en camino, que estás en marcha y a la vez es una petición de ayuda al Cosmos para que te eche una mano.

La «magia de empezar» crea milagros impredecibles.

La «acción inmediata», antes de 24 horas, desencadena un estado de flujo en el que las «casualidades significativas» (sincronicidades) dirigen el proceso con una inteligencia que no es de este mundo sino del Cosmos. La «acción inmediata» te hará imparable porque te sumerge en un bucle virtuoso. Una cosa lleva a otra. Un paso revela el siguiente y así uno tras otro. Las pequeñas acciones inmediatas abonan el éxito inevitable.

Una vez iniciada la «acción inmediata», tras empezar, tu siguiente obsesión debe ser llegar a un punto de inflexión, a partir del cual será más fácil acabar que abandonar. Llegar al «punto de no retorno» te garantiza una cosa: cerrar una etapa y abrir otra. Entras en la excelencia. Los «puntos de inflexión» son *portales* o *corredores* a nuevas dimensiones en tu mente.

Pasado el punto de no retorno es más fácil acabar una cosa que dejarla inacabada. Estás más cerca de hacerlo que de no hacerlo. Busca tu punto de no retorno y crúzalo. Acaba lo que empiezas. Ten tanta «acabativa» como iniciativa. Pregúntate: «¿En qué momento es imposible echarse para atrás?». Este es tu punto de no retorno, y ahí tienes tu meta real, cuando llegas al punto de no retorno la acción está garantizada. Obsesiónate en llegar a ese punto.

La mejor forma de pasar a la «acción inmediata» es contar: «A la una, a las dos, y a las tres»... y hacerlo. ¡Eso es inmediatez! Es lo mismo que cuando dudas de si tirarte a la piscina o no. No lo pienses, solo cuenta: «a la una, a las dos y a las tres» (punto de no retorno)... y te tiras de cabeza. No hay nada que pensar, ya lo tenías decidido. Es el momento de la «acción inmediata».

Veamos otro principio que te ayudará en la disciplina fácil y automática.

Lo que nos lleva a las «decisiones programadas», una rutina elegida de antemano. Lo que te evita tomar la misma decisión una y otra vez; al quedar programada, está programada y es automática, al igual que la acción que desencadena. Si te paras a pensar tu mente te frenará con sus excusas.

Pensar consume mucha energía. La mejor forma de contar con la suficiente energía es no derrocharla. Estamos programados para ahorrar energía ya que podríamos necesitarla para sobrevivir y por eso no podemos derrocharla. Es instintivo. Y para ahorrar energía aplico el principio de las «decisiones programadas».

Cuando tomo una decisión, su plazo de validez es hasta nueva orden; queda programada. Ya no vuelvo a pensar al respecto hasta que no hay un cambio importante. La «decisión programada» forma parte de mis «normas de la casa», las mantengo de manera consciente porque me funcionan. No me apego a mis decisiones, estoy abierto a otras mejores; pero hasta que eso suceda, las «decisiones programadas» siguen siendo buenas hasta que se demuestre lo contrario.

Eso me permite ahorrar en la toma de decisiones, lo que me resta energía, tiempo y me sumen en la duda. Soluciono las situaciones cotidianas con «decisiones programadas», así me evito repensarlas y puedo dedicar esa energía y tiempo a decisiones nuevas o más importantes. Por eso me repito a menudo «No hay nada que pensar, ya está pensado». Evito tomar nuevas decisiones sobre los mismos asuntos (siempre que me vaya bien) y doy por buenas las «decisiones programadas» que ya están funcionando bien.

Ni por asomo pienses que eso me convierte en un autómata, recuerda que el corazón siempre está al mando a la hora de elegir. Todos nos autoprogramamos. Una persona disciplinada y una indisciplinada se parecen en que ambas se rigen por automatismos; pero se diferencian en que una elige los positivos y la otra los negativos.

Por ejemplo, en el 99% de ocasiones visto de azul marino. Es una decisión que tomé hace años (programada) y que me simplifica decidir qué ropa comprar y qué ponerme cada día. Tengo las marcas, tallas, y el color decidido de antemano. Es un gran ahorro. ¿También las tallas? Sí, es una forma de mantenerme en mi peso elegido e ideal. Si lo pierdo, pierdo mi vestuario entero, y no pienso permitirlo. Así se refuerzan entre sí las disciplinas apiladas.

Otro ejemplo, en mi alimentación tengo igualmente decisiones tomadas de antemano y programadas. Qué alimentos son los básicos para mí, donde comprarlos y cuál es mi menú en un día normal. Ya lo tengo decidido. No necesito hacer una lista de compra para ir a comprar porque la tengo grabada en mi mente. Cuando quiero hacer una excepción, o variar un poco, me voy a un restaurante. La lista evita dudas y errores a la hora de comprar y de cocinar.

En mis costumbres, agenda diaria, estilo de vida… lo mismo. Hay muchas «decisiones programadas» que eran buenas hace tiempo y siguen siéndolo (mis normas de la casa). ¿Hay excepciones? Por supuesto pero son eso: excepciones a la norma. Si a alguien todo esto le parece un modo de funcionar demasiado rígido, le aconsejo que pruebe con la improvisación y verá en qué se convierte su vida. Si no te pones normas a tu gusto, alguien más lo hará y seguro que no te gustarán.

Hasta nueva orden está todo (o casi todo) decidido. Eso es disciplina en acción. Cuando tomas «decisiones programadas», y actúas con compromiso en consecuencia, entonces hay muy poco espacio para las dudas, vacilaciones, tentaciones, concesiones, excepciones, debilidades…

Veamos otro principio que te ayudará en la disciplina fácil y automática.

A veces se trata de tomar una decisión y hacer un cambio, y a partir de entonces empiezas a vivir una vida mejor, más auténtica y simplificada. En resumen: una acción, una vida mejor, o lo que llamo «cambios de una acción». ¡Solo una!

Te pondré unos ejemplos, el acto único de poner un filtro de ósmosis en tu cocina te proporciona una ventaja en la salud de forma indefinida. Ni siquiera se requiere la disciplina de hacer algo cada día, basta con una acción puntual y listo.

Otro ejemplo, darse de baja de la plataforma Netflix (herramienta de programación y control mental de la secta) te libera una cantidad de tiempo increíble. Una decisión puntual y consigues una ventaja recurrente y continuada en el tiempo: ahorro de tiempo, dinero y manipulación propagandística.

Otro ejemplo del principio «cambios de una acción»: nunca leo un periódico, escucho noticiarios en la radio o veo cualquier programa en la televisión. Todos los «medios de incomunicación» fueron comprados o sobornados por la élite criminal que esclaviza al mundo (y solo escupe propaganda para el control mental, *fake news*, desinformación y terror para conseguir agendas criminales). El apagón informativo en medios convencionales me produjo una inmensa paz, me desprogramó mentalmente y me permitió reencontrar la verdad en otros canales no oficiales y no convencionales. De nuevo, un solo cambio y una ventaja prolongada.

Busca decisiones como estas, que cuestan muy poco tomar, muy poco implementar porque apenas requieren de una acción puntual, y que te llevan a una vida mejor a largo plazo. Esta es sin duda la disciplina de los perezosos: los «cambios de una acción».

Veamos otro principio que te ayudará en la disciplina fácil y automática.

Como imagino que te gustan las emociones fuertes (la prueba es que estás leyendo uno de mis libros), te revelaré uno de los trucos para ser disciplinado en tareas que temes abordar. ¿Preparado?

He comprobado que muchas veces no nos disciplinamos por miedo. Sí, temor a equivocarnos, a no ser capaces, a desistir a mitad de esfuerzo... Miedo a fallar. Y el único modo seguro de vencer el miedo es haciendo aquello que tememos. «Haz lo que temes» y el miedo se disipará.

Afrontar el temor, es decir hacer lo que temes, es la forma segura de doblegar el miedo y convertir una acción atemorizante en una ínfima tarea. ¿Cuánto tiempo conviene hacer lo que se teme? te preguntarás. Hasta que no albergues ni la más ligera sombra de temor. Punto.

 Hacer lo que temes agota la respuesta emocional del miedo.

«Haz lo que temes» y tendrás un suministro ilimitado de poder personal. Puedes empezar por ensayar mentalmente e imaginar cómo sería enfrentarse a lo que temes afrontar y visualizar como sales indemne. Cuando seas capaz de imaginarte derrotando a tus propios miedos sin que se altere tu pulso, pasa a la acción. Primero vence en tu mente y después vence en el mundo. Ningún deportista gana un partido en la cancha que no haya ganado antes en su mente.

«Haz lo que temes» de forma repetida y disciplinada hasta que lo temido se agote por completo, se disuelva como un azucarillo. Atrévete a afrontar tu miedo una y otra vez; y este será disuelto.

Deja que te cuente dos ejemplos personales.

Cuando era niño, la sola presencia de una niña hacía que me ruborizara y me quedase bloqueado sin otra reacción que la de soportar el incendio rabioso de mis mejillas. Mi primera reacción era rehuir el contacto con las niñas; pero eso no suponía una solución, sino una huida cobarde. Me parecían seres preciosos pero turbadores. De adolescente, la cosa no mejoró demasiado. Hasta que un día me cansé. Intuitivamente utilicé la estrategia de «hacer lo que temes». Durante unas vacaciones de verano en la costa, me propuse afrontarlo a la desesperada: iba a declararme y salir con cuantas chicas me tropezase y alcanzaran las largas vacaciones de verano. Lo que se dice adquirir práctica y soltura. Y eso hice exactamente. Asunto resuelto de por vida.

Cuando empecé a trabajar en multinacionales, debía hacer algunas presentaciones en público. Yo sabía que tenía que hacer aquello que más temía si quería vencerlo. Nuevamente usé la estrategia de «hacer lo que temes», y me apunté voluntario a todas las oportunidades para hablar en público a los equipos de la compañía. En un año, adquirí soltura y naturalidad; habilidad que me ayudaría en mis conferencias, presentaciones de libros y formaciones ya como autor, años después. Asunto resuelto de por vida.

«Haz lo que temes» de una vez por todas, y te quitarás un peso enorme de encima. Un día, el miedo desaparecerá y quedará una nueva habilidad: la disciplina automática te conduce a hacer lo que antes temías sin que te cueste nada de nada.

Ahora es tu turno, elige un miedo que no has afrontado hasta la fecha y plántale cara sin contemplaciones. No aceptes tus propias excusas, el miedo no se irá de buen grado, tienes que echarlo a patadas de tu vida. ¡Haz lo que temes!

En resumen y para acabar el capítulo, si piensas que ser disciplinado te roba la libertad, te equivocas; al contrario, es el pasaporte a la vida soñada. Como un país tiene una Constitución o Carta Magna que garantiza la libertad y los derechos, ocurre igual en lo personal. Cuando respetas tus propios principios, valores y prioridades, no te traicionas violando tu propia constitución personal.

Si no has sido disciplinado hasta la fecha es porque no has redactado aún tu constitución personal, tus reglas básicas, valores y prioridades, tus principios, las normas de la casa... Una vez que lo haces, y juras fidelidad a tus principios básicos, los defiendes hasta las últimas consecuencias porque forman parte de ti. Eso es patriotismo personal, eso es autoestima, eso es disciplina sin autosabotaje.

¿Cuál es tu constitución personal? ¿Y tus normas de la casa? Toma papel y lápiz y redáctalas ahora mismo. Solo debes escribir tus valores más sagrados; y una vez escritos, jura tu constitución personal por lo más sagrado.

Repasa el siguiente resumen del capítulo y abordemos el código de la disciplina en el próximo capítulo...

RAIMON**SAMSÓ**
ABRAZA LO EXTRAORDINARIO

DISCIPLINA
EN
ACCIÓN

ACCIÓN
INMEDIATA

DECISIONES
PROGRAMADAS

CAMBIOS
DE UNA
ACCIÓN

HACER LO
QUE TEMES

CAPÍTULO 6
MÉTODO FÁCIL DE DISCIPLINA AUTOMÁTICA
AUTODISCIPLINA PARA PEREZOSOS

LA «LEY DE LA DECISIÓN» establece que el modo más eficaz de resolver la incertidumbre es la acción, no la obtención de más información o la reflexión *ad infinitum* —las cuales no hay que despreciar—. Es tomando decisiones firmes como se sale del estado de bloqueo que crea la duda. La decisión audaz activa una energía que desata los cursos de acción potenciales para concentrar tu energía en un único curso de acción.

La capacidad de tomar decisiones claras es uno de los poderes de los exitosos —como la varita mágica de los magos—, y hace que las cosas sucedan en el mundo. Hasta ese momento todo es teoría y probabilidades.

La sabiduría creativa del Cosmos acude en apoyo de quién actúa siguiendo el camino del corazón (coraje). Es la decisión de emprender decisiones, y no su demora, lo que obtiene la complicidad de la sabiduría universal para conspirar a favor de nuestros propósitos.

La decisión, incluso la más alocada, se ve respaldada por fuerzas que no son de este mundo. Se obtiene la colaboración de la sabiduría creativa universal al actuar de forma coherente con lo decidido —contando con el éxito asegurado y asumiendo que es imposible fracasar—.

Cuando has tomado una decisión, tu energía se enfoca de forma eficaz a un objetivo, ya no te dispersas. Un tren circula sobre las vías y así usa la energía de su locomotora en una dirección: aprovecha más la potencia y la velocidad en comparación con otros medios de locomoción. Del mismo modo, una decisión firme es como las vías que te mantienen en la dirección correcta.

¿Cómo aplicar esta ley? Toma tus decisiones y después actúa en consecuencia. Una decisión es como un juramento sagrado, no puedes romperlo sin consecuencias. ¡Ves a por todas! Si hay coherencia entre tus decisiones y tus acciones, nada se te resistirá porque el universo ama la coherencia. Pero si faltas a tu decisión, la inteligencia universal te retira el apoyo y quedas abandonado a tu suerte.

 Toma más decisiones para obtener más resultados.

Respecto a ciertas área de la vida:

- La disciplina y el ejercicio... o cuidas tu cuerpo o él dejará de cuidarte a ti y no tendrás donde vivir esta vida.
- La disciplina y la comida... o le das a tu organismo lo que requiere o te devolverá lo que no quiere en forma de síntomas y enfermedades.

- La disciplina y el ahorro… o te reservas una parte de tus ingresos para ti que lo ganaste o te estás robando a ti mismo dándoselo a otros.

Y así es en todo, tú te haces todo a ti mismo cuando te indisciplinas y tú te das todo a ti mismo cuando te disciplinas. Aquí se aplica la Ley del boomerang, todo sale y regresa a ti.

La pereza es un síntoma de la falta de confianza; de otro modo, ¿por qué retrasarías lo que más deseas? No es falta de energía, ni de tiempo, ni de recursos… lo único que la pereza manifiesta es la falta de confianza en uno mismo. O falta de autoestima. Al final todo se reduce a lo mismo: tienes que quererte un poquito más y ya puestos, ¡mucho más!

Ser compasivo con uno mismo, perdonarse las dudas y los errores pasados, es la clave para la disciplina. Practica la compasión (que no es lo mismo que la pena) y entrénate contigo. Si eres compasivo contigo, podrás serlo con los demás.

Cuando aprendes a no cuestionarte, construyes tu poder personal. Y entonces ya no necesitas la validación de terceras personas, no buscas aprobación ajena, ya cuentas con la tuya propia.

autocompasión —> autoestima —> autodisciplina

Este capítulo es tu salvación si es que la pereza te puede… Porque este método contiene solo tres pasos: uno, dos y tres. ¡Y ya está! Nada de procesos largos y complicados. Tres pasos sencillos y listo.

¿Preparado?

¡Listo!

¡Ya!

Voy a presentarte el «código de la disciplina» fácil y automática, aunque es un método tan sencillo que no sé ni cómo debería llamarlo: ¿Truco, secreto, receta, método...? A nuestros efectos, «el código de la disciplina»; aunque verás que en el próximo capítulo resumiré los principios prácticos vistos en este libro. No te preocupes, te lo pondré todo por escrito, muy claro para ayudarte a recordarlo.

¡Ni siquiera un indisciplinado perezoso podría resistirse!

He conocido diferentes protocolos para la disciplina, como fundamento de los hábitos positivos, pero no me han gustado. Demasiado complicados, demasiado mentales, demasiado basados en el esfuerzo y el sacrificio... ¿Crees que alguien quiere algo así? De entre todo lo conocido, lo único que me ha convencido es el trabajo de Charles Duhigg desarrollado en su libro «*El poder de los hábitos*», en el que me he basado para resumir este método de tres pasos.

Necesitas un método sencillo, breve, fácil y, sobre todo, que funcione. La disciplina se puede construir cuando conoces el modo de hacerlo. Y eso es lo que vamos a descubrir con «El código de la disciplina».

Lo que voy a pedirte es que no juzgues de entrada, mejor pruébalo. Parece tan sencillo —y tu mente está tan acostumbra a la complicación— que te parecerá que no puede funcionar. Pero he de decirte que cuanto más sencillo, menos resistencias y excusas a la hora de diseñar comportamientos.

Al método lo llamo el «código de la disciplina» o las «3R». Tres letras de tres palabras que deberás recordar: **R**esorte disparador, **R**eacción, **R**epetición. Y esas tres palabras serán el puente entre tu estado actual y tu estado deseado; la decisión y el resultado.

DECISIÓN — — — 3R— — — RESULTADO

Simplificando el proceso: tienes una intención de conseguir un objetivo. Y lo que te llevará allí son las 3R: **R**esorte, **R**eacción, **R**epetición. Es el proceso de convertir decisiones firmes en resultados inevitables.

¿Te interesa?

Ahora, ¿qué porcentaje de éxito tiene ese proceso? Bueno, aunque no consigas el 100% de éxito, puedes aumentar tu ratio de éxito paulatinamente… Imagina conseguir un 80% de decisiones materializadas, de deseos cumplidos… ¿No sería la bomba? Un 90% tampoco estaría mal, ¿verdad?

Decisión. Tienes un deseo, sueñas una meta y en ese momento tomas una decisión. Te haces una promesa a ti mismo, regalarte un objetivo, conseguir un resultado que marcará una diferencia significativa en tu vida. Eso implica tomar una decisión firme.

Resorte disparador. Un suceso desencadenante en el entorno conlleva una reacción por tu parte, es la activación del disparador, y se explica con la primera parte de la frase: «Cuando ocurre esto, entonces yo hago esto otro». En seguida te pongo una lista de ejemplos. Son automatismos que todos tenemos programados; y de lo que se trata es de elegir automatismos para convertirlos en disciplinas positivas. *Cuando ocurre esto…*

Reacción. Tu acción de respuesta al resorte disparador. Es la segunda parte de la frase apuntada arriba. Puede ser una reacción emocional, mental o un comportamiento; y es lo que consigue el resultado… *Entonces yo hago esto otro.*

Repetición: Tu acción de respuesta se ha programado, ya no es puntual, es repetitiva como una rutina automática, diaria, y de su repetición se consigue su perfeccionamiento y mejora. Son pequeñas acciones repetidas y mejoradas en cada repetición (filosofía Kaizen).

Resultado. El resultado es la consecuencia natural del proceso, el objetivo alcanzado. El logro retroalimenta el proceso y motiva la repetición refinada y mejorada. Los resultados refuerzan la decisión inicial y la hacen firme. Volvemos al inicio del bucle, pero más comprometidos. Y el proceso de la disciplina se hace más fácil y automático porque activas el «código de la disciplina»..

**DECISIÓN—> Resorte—> Reacción—> Repetición—>
RESULTADO**

DECISIÓN — — — 3R— — — RESULTADO

DECISIÓN — — — Disciplina— — — RESULTADO

La metáfora para recordarlo es la imagen de un sandwich: entre las lonchas de pan —decisión y resultado—, van los cortes de jamón —de resorte, reacción y repetición—. «El código de la disciplina» es un sándwich, ¿vas a tomártelo?

Como te debo algunos ejemplos de automatismos —«Cuando ocurre esto, entonces yo hago esto otro»—, aquí van unos cuantos:

- Cuando termino de comer, me cepillo los dientes.
- Cuando me levanto, bebo un vaso de agua.
- Cuando me duele la espalda, me levanto y ando.
- Cuando son las diez, me acuesto. Cuando son las cinco, me levanto.
- Cuando me canso de trabajar, salgo a tomar el sol.
- Cuando cojo un libro, busco un rotulador marcador.
- Cuando tengo una intuición, la sigo.
- Cuando me salto mi dieta, hago un ayuno de 16 horas.
- Cuando la economía va mal, redoblo mis esfuerzos.
- Cuando me critican, me motivan a seguir.
- Cuando hago un gasto extra, creo un ingreso extra.
- Cuando aprendo, aplico y pruebo.
- Cuando escribo, no me exijo hacerlo bien.
- Cuando no tengo nada que hacer, encuentro algo que hacer.
- Cuando todos miran a un lado, yo miro hacia el otro.
- Cuando me entristezco, leo una página de mis libros medicina.
- Cuando me levanto por la mañana, doy las gracias.
- Cuando acabo una lectura, empiezo otra de inmediato.
- Cuando aprendo algo, lo comparto.
- Cuando me estreso, respiro profundo.
- Cuando me sonríen, sonrío.
- Cuando me hacen una propuesta, me pregunto «¿Es esto lo que quiero?»
- Cuando me acuesto, cierro antes el wifi y el teléfono móvil.
- Cuando necesito aprender sobre un tema, leo un par de libros al respecto.

- Cuando me duele la cabeza, me tomo un café.
- Cuando el trabajo me aturde, me siento a leer un libro cualquiera.
- Cuando es la una, dejo todo y preparo mi comida.
- Cuando llego a casa, me descalzo y me lavo las manos.
- Cuando me siento a conducir, me pongo el cinturón de seguridad.
- Etc.

Me encanta el «Cuando ocurre esto, entonces yo hago esto otro», es como decirle a una situación que quieres cambiar: «¿Con que esas tenemos?» «Ahora sabrás con quien te estás midiendo». Y sacas dignidad y das una lección de autoridad. Y te sientes muy bien contigo mismo, al margen del resultado.

Los ejemplos de arriba son algunos automatismos elegidos que solo cambiaré por otros mejores. Es lo que llamo la «disciplina fácil y automática» basada en las «normas de la casa» después de tomar «decisiones firmes».

Por cierto, en los negocios, siempre que surja una discrepancia con un cliente que no deseas negociar, si mencionas que esas son «las normas de la casa», verás cómo se acaba la discusión. Se atreven a discutir todo, excepto «las normas de la casa» que rigen para todos y que se supone que están escritas a fuego en alguna parte. Nunca permitas que los clientes impongan sus reglas en tu negocio, si lo hicieran dejaría de ser tu negocio y se convertiría en el suyo. Y en lo personal, no permitas que las opiniones de los demás se impongan a las tuyas.

Esto nos lleva al concepto del autocontrol, en aquello que sí puedes controlar.

autocontrol = autodisciplina

Pero hay más. Veamos otro principio que te ayudará en la «disciplina fácil y automática».

En mi caso, una de mis normas preferidas es: «Hacer lo necesario durante el tiempo necesario». ¡Cómo me gusta escribirlo! Y una de mis reglas favoritas es que puedo cambiar de estrategia, disciplina, pero no abandono el objetivo.

Es decir: no abandono a la mitad.

Es decir: no busco un objetivo más fácil.

Es decir: no me soborno con un premio de consolación a cambio de abandonar.

«Hacer lo necesario durante el tiempo necesario» es uno de mis principios favoritos porque apunta al infinito en el espacio y el tiempo. Resume una determinación a toda prueba, es la conjura con uno mismo para conseguir algo sí o sí. Con esa determinación a toda prueba, los obstáculos se apartan y las oportunidades salen al encuentro. No hay nada que la vida respete más que una persona decidida y comprometida.

«Hacer lo necesario...» significa estar predispuesto a darlo todo respetando los valores propios, mantener la integridad moral y ética, no hacer nada ilegal o que perjudique a otros.

«...durante el tiempo necesario» significa respetar «el reloj interno» de los acontecimientos y de la vida. No imponer calendarios, es mejor disolver la impaciencia y aceptar que todo tiene su momento adecuado.

Un buen ejemplo de hacer lo necesario es una anécdota de John Lennon —o tal vez Paul McCartney, no lo recuerdo— de los Beatles. Dijo en cierta ocasión que cuando necesitaba construir una piscina, escribía una canción. Es una divertida metáfora de automatismo: cuando necesitas dinero, creas un producto y lo vendes... Y es lo que he aprendido de esta historia: cuando quiero una piscina, escribo un libro.

Cuando quiero esto, hago esto otro.

Si no escribes libros, no te apures. Espero que a estas alturas ya tengas un negocio propio con muchos clientes. Y la pregunta que te has de hacer frente una inversión o un gasto inesperado es: «¿Quién lo pagará?» o «¿La venta de qué producto lo pagará?» Tú, desde luego, no. El problema es que hasta la fecha, tú has pagado todo y debes encontrar alguien más que lo haga gustosamente por ti.

¿O todavía no lo has entendido?

Cuando necesito esto o aquello... busco quien lo pague.

Veamos otro principio que te ayudará en la «disciplina fácil y automática».

Todo tiene un precio (no en dinero) y la condición para obtenerlo es «pagar el precio completo». Con precio me refiero a:

- tiempo;
- trabajo;
- creatividad;
- dedicación;
- disciplina;
- aprendizaje;

- entrega;
- etc…

Si aprendes a pagar todos los precios, sin regatearte ninguno, activarás uno de los principios del éxito. Lo primero que has de preguntarte cuando sientas un deseo ardiente es:

«¿Cuál es su precio?»

Y lo segundo que has de preguntarte es:

«¿Estoy dispuesto a pagarlo?»

Sin responder a estas dos preguntas no empieces nada. «Pagar el precio completo» y por anticipado (no a crédito) es la garantía para asegurar, reservar, lo que deseas.

Soñar es gratis pero conseguir los sueños exige pasar por caja, hablo en sentido figurado. El precio es tesón, tiempo, energía, constancia… A mí siempre me encontrarás en la cola de caja, adoro pagar todos los precios porque sé que esa es la clave para una vida genial. Y pago feliz porque el valor de lo obtenido es superior al precio pagado.

Lector, nos vemos allí, en la cola de caja, y echamos unas risas mientras comentamos la jugada. Y pagamos el precio completo.

Si me preguntan: «¿Cuánto tiempo es necesario para conseguir resultados?», diré que no cuenten las horas, no miren el reloj, no escatimen los medios, ni se rindan nunca… Cuando estás dispuesto a «pagar el precio completo» durante «el tiempo que haga falta», sin regateos, consigues no abandonar a la primera de cambio.

Y si el pago es total y por anticipado, mejor aún, ¡porque ya lo has pagado! ¡Ya no puedes renunciar! No hay devolución pero si aguardas verás resultados.

El subconsciente del disciplinado sabe que cumplirá todos los requisitos de la lista, sabe que va «a por todas» y sabe que no se arrugará ante las dificultades que surgirán en el camino. Es un asunto de amor propio, incluso de dignidad. Ya no se trata de conseguir algo, sino de reafirmarse.

Si además has pagado el precio por anticipado, has hecho una reserva, no puedes renunciar si has reservado tu sueño. Has hecho una reserva en firme de tu sueño (sin derecho a devolución) y la vida ahora está en deuda contigo. Y ya está trabajando en ello.

Una confidencia: el último kilómetro del recorrido siempre es el menos concurrido, ya te lo anticipo. Te darás cuenta que no es tan difícil como parecía. Atisbas la meta solitaria; y lejos de necesitar una eternidad, te han bastado con unas semanas, meses, o quizás años… ¿Y eso que importa? Lo harías incluso si tomara una vida entera, ¿verdad? Por eso la pregunta del perezoso: «¿Cuánto tiempo llevará?» es una pregunta irrelevante.

No te detengas, ya casi estás allí. Y eres tan feliz en ese momento que te pones a silbar con alegría y despreocupación mientras cubres el último kilómetro.

Es hora de repasar el contenido del capítulo para asentar sus conceptos…

CAPÍTULO 7

PLAN DE ACCIÓN PARA INDISCIPLINADOS

PRINCIPIOS, LEYES Y DECRETOS PARA LA AUTODISCIPLINA AUTOMÁTICA

TU SIGUIENTE PASO es pasar a la práctica. ¡Demuéstrate lo que sabes y lo que puedes!

La única forma de saber si esto funciona para ti es comprobándolo, no creyéndolo. Demasiada gente prefiere las creencias a las experiencias por eso dicen «Eso ya lo sé», pero no lo hacen. Es como en las religiones, en el mundo hay más creyentes que practicantes. Y la disciplina es practica en su 100%, requiere acción.

Leer está bien, pero actuar está mejor, mucho mejor. No busques buenas ideas, busca buenos comportamientos y saldrás mejor parado del juego de la vida. «Saber y no hacer» es autosabotearse. ¿De qué sirve saberlo y no hacerlo? Solo para acallar el remordimiento por no pasar a la acción.

En efecto, a los indisciplinados perezosos les queda el consuelo de saberlo («No lo hago, ¡pero al menos lo sé!»). Eso es muy triste. Cuantas veces he oído en mis formaciones: *«Lo sé, pero...»*, *«Lo he leído, pero...»*, *«Lo he oído contar, pero...»...* No caigas en el autoengaño.

Te diré algo duro de oír: «Es peor saber y no hacer, que no saber en absoluto». Y algo más duro aún: «Lo que no aplicas, te lo robas a ti mismo». La indisciplina es un síntoma de deslealtad contigo mismo y de baja autoestima.

Por suerte después de esta lectura, cuentas con una nueva mentalidad, le has sacado polvo a tu determinación y viejos compromisos incumplidos, te has deshecho de algunos hábitos negativos... Por fin, alguien te ha diseccionado el código de la disciplina y mostrado un protocolo de actuación. Es casi todo cuanto necesitas para actuar.

¡Actúa!

Ahora que tienes fresco el contenido de este libro, es hora de demostrar si estás de acuerdo o no con lo leído. ¿Cómo demostrarlo? ¡Aplicándolo!

¡Aplícalo!

El aprendizaje solo tiene sentido si crea un cambio de comportamiento. Pregúntate siempre: «¿Cómo puedo usar este conocimiento en mi vida?». Y no, no hay un momento perfecto para empezar, necesitas activar el hábito de empezar cuanto antes. Tienes que empezar hoy, mañana será tarde.

Mi mejor consejo en esto es:

 Sé impaciente para empezar pero paciente para terminar.

Empieza hoy mismo con una nueva disciplina, elige una muy sencilla, una a la que no te puedas negar porque no te cueste casi nada, como por ejemplo: dar las gracias nada más levantarte de la cama. O esta otra, hacerte una limonada al empezar el día para alcalinizar tu organismo. Solo te tomará unos minutos, es barato, sabe buenísima. Te basta con un limón, un exprimidor y tres minutos. Y una más, conjúrate contigo mismo al salir de casa: «Hoy voy a brillar», «Esta jornada pertenece al amor», «Dios me guía hoy y siempre».

Empieza por lo que sea, pero demuéstrate a ti mismo que has entendido; y que, si te disciplinas en cosas positivas, tu vida dará un salto cuántico. Apila disciplinas, una sobre otra, porque es la forma de apuntalar tus decisiones entre sí.

Empieza y crea impulso, luego mantenlo. Alcanzada la velocidad de crucero, ya puedes silbar.

Permíteme que señale la magia de empezar y la magia del «impulso». Sobre la importancia de empezar y romper la inercia, ya he explicado lo suficiente en anteriores libros. Sobre la importancia del «impulso» no está de más comentar lo siguiente…

En mi filosofía de vida, tienen máxima importancia: la disciplina y los hábitos, además de la acción inmediata y crear «impulso», mantener el ritmo. Y en mi filosofía de vida tiene muy poca importancia la motivación, el esfuerzo, la fuerza de voluntad y la suerte (los salvavidas de los indisciplinados).

El «impulso» es la inercia del movimiento que, una vez iniciado, necesita poca energía para mantenerte activo y con un buen ritmo. Todo cuerpo en movimiento tiene tendencia a mantenerlo si es que no hay una fuerza de oposición suficiente como para detenerlo.

Aplícate esta ley de la física y alimenta el «impulso». Conseguirás una ventaja desproporcionada en comparación con los que arrancan y paran, arrancan y paran...los que carecen de inercia porque no alimentan el «impulso» y mantienen el ritmo.

¿Te gusta bailar? Entonces mantén el ritmo. Ya me entiendes.

Por ejemplo, para mantener el «impulso», yo encadeno la escritura de un libro con el de otro. Cuando me veas promocionar mi último libro, ya estoy escribiendo las primeras páginas del siguiente. No pierdo el «impulso»; y así puedo escribir dos o tres libros al año, como si nada, tecleado y silbando.

El «impulso» hace que sea más fácil actuar que no hacerlo. Si te mantienes en movimiento (no importa la velocidad) en la dirección adecuada, llegarás tarde o temprano. No hay nada más inevitable que un objetivo abordado con «impulso». ¡Y eso es la disciplina! Una aplicación práctica de las leyes físicas que rigen este universo.

Hay tres componentes en el impulso, por orden de importancia:

1. dirección;
2. fuerza;
3. velocidad.

Un impulso puede estar dirigido en la dirección correcta o en la incorrecta. Cada vez que un impulso empeora nuestra vida, sentimos la tentación de culpar a otros o calificar el resultado de mala suerte.

Pero no nos engañemos, los efectos provienen siempre de causas objetivas que debemos corregir con un cambio de dirección.

Los malos hábitos te dirigen en la dirección equivocada y los buenos hábitos en la dirección correcta. Unos te alejan de tus objetivos y los otros te acercan a ellos. Si te equivocas de camino no importa lo mucho que corras, no llegarás a dónde quieres ir. Por esa razón la dirección es capital.

Una vez sabes lo que quieres y te diriges a ello, poco importa si vas andando, en bicicleta o a la carrera. La combinación de fuerza y velocidad, aplicadas en la dirección correcta, es una elección personal pero una detalle nada más.

 Cuando cambias de dirección, tu vida entera cambia.

Por ejemplo, cuando abandoné mi empleo en un banco —y empecé como autor independiente—, empezó una nueva vida. El cambio de dirección provocó un cambio drástico en todos los aspectos de mi vida. Cambia la dirección de tu vida en apenas un grado de desviación, y en mil kilómetros te hallarás en un lugar muy diferente y lejano; porque un grado —mantenido en cada paso— hace una enorme diferencia en tu destino.

Si te preguntas cómo mantener el impulso después de arrancar, una de las formas más sencillas es diseñar un «contexto favorable», un entorno que te invite a seguir haciéndolo. ¿Dónde mantiene y aumenta la velocidad una bola, deslizándose en una subida o en una bajada? Es obvio que en bajada es un «contexto favorable» para mantener y aumentar su impulso. Busca tus «contextos de bajada», favorables, donde el impulso se mantendrá por sí mismo.

La disciplina se refuerza en los «contextos favorables».

Un «contexto de bajada» puede ser un entorno (vivienda, despacho...) o un estado (mental, emocional...). Hay muchos entonos que pueden jugar a tu favor (o en tu contra). Identifícalos y conviértelos en tus aliados.

No vayas de subida, sino de bajada.

Por ejemplo, yo elegí escribir frente al mar porque las energías son más poderosas para mi inspiración y claridad de ideas. Un día lo decidí y no paré hasta conseguirlo. Y además me fui de la ciudad porque su densa energía, el *chi* colectivo, enturbiaba mi claridad mental.

El entorno puede hacer una parte del trabajo y puede convertirse en tu fuente de energía; conseguirás mejores resultados con menos esfuerzo. Crea mini «contextos favorables» en tu casa que faciliten tu disciplina para: trabajar, descansar, leer, meditar, ejercitarte, pensar, cocinar, etc. Entornos cálidos donde sea sencillo ser feliz y vivir una vida ideal.

El objetivo de este libro es ayudar a sus lectores a lograr resultados y una vida mejor a través de la disciplina. No buscamos la disciplina por la disciplina. Este manual pretende ofrecer una solución simple pero efectiva para desarrollar el hábito de la disciplina —con autoestima y sin autosabotaje— como punto de partida para el resto de hábitos. Y este capítulo resumirá de forma sintética lo visto hasta ahora.

A lo largo de la lectura, has leído la expresión «disciplina fácil y automática», pero ¿existe eso? Claro, es una decisión fácil porque amas darte lo mejor y es automática porque solo hay que tomar una decisión una vez y actuar después sin tener que pensar en ello.

Sí, en efecto, tomas una «decisión firme», una sola vez, y luego vas a muerte con ella. Una vez tomada la decisión, no hay nada más que pensar, ya está pensado. Si te detienes a pensar, te enredarás, te engañarás y dudarás... Pasa a la acción, si te mantienes ocupado no te dará tiempo a pensar si te apetece o no te apetece. Una vez me dieron este consejo al respecto: *«Raimon, si la decisión era buena cuando se tomó, seguro que sigue siéndolo»*. Y lo recuerdo a menudo. Y mira, aquí tienes otro de mis mejores consejos:

 No tienes que preguntarte si te apetece o no, pregúntate si lo quieres o no.

Tu siguiente paso es no dejar decaer tu actual motivación para mejorar tu vida e ir unos pasos más allá. Un modo de motivación extra es recompensarte por cada 1% del logro total. Son «micro recompensas» a modo de degustación del premio final.

Ya tienes un método de disciplina automática. Es hora de que lo experimentes, no caigas en la tentación de buscar nueva información sobre el tema y así posponer la acción. Todo lo que necesitabas era un método (y ya lo tienes), porque el deseo ardiente de mejorar ya está en ti, al igual que los recursos que sacarás para conseguirlo.

He esperado al final del libro para revelarte un secreto a voces. Si lo hubiera hecho antes, tal vez no habrías concluido su lectura.

Ahí va mi revelación explosiva: «No necesitas motivación para pasar a la acción».

Tal cual. La motivación solo es necesaria para hacer lo que detestas y en ese caso es mejor no hacerlo.

¿Para ver a la persona amada, necesitas motivación?

¿Para ir a tu restaurante favorito, necesitas motivación?

¿Para irte de vacaciones, necesitas motivación?

Claro que no. ¡Lo estás deseando! Cuentas los días, las horas y los segundos. Apenas puedes aguardar el momento de empezar. Te quita el sueño y te consume la impaciencia...

Pero sí necesitas motivación para trabajar en un empleo
 que detestas.

Pero sí necesitas motivación para hacer una dieta que no
 va contigo.

Pero sí necesitas motivación para ir a aburrirte al gimnasio.

Cuando trabajas en lograr una vida ideal, no necesitas motivación para pasar a la acción porque... ¡se trata de tu sueño! No necesitas motivación porque lo estás deseando con todas tus fuerzas. Ni siquiera lo quieres, ¡lo necesitas! ¡Estás e-na-mo-ra-do! Y el amor es tu motivación. Puede que no te gusten todas las tareas incluidas en el *pack*, no amas el 100% del lote, pero cumples con todas las tareas porque garantizan tu anhelado deseo.

Lo que nos conduce a un principio para la disciplina fácil y automática:

Más pasión, menos motivación.

Vaya, me acabo de cargar miles de libros de motivación, por no hablar de infinitas conferencias al respecto. ¡Oh! Pero la verdad es la verdad. Mira, yo no escribo para motivar a nadie, ni para informar de lo que sé. Para motivarte ya estás tú, y para informarte está Internet. Escribo para *trans-for-mar* a la gente. La teoría no me interesa mucho, prefiero pasar cuanto antes a la parte práctica. Mi consejo es que entres en el club de los que se aplican lo que predican, de los que saben solo lo que experimentan, de quienes hablan con los hechos y no con palabrería.

Más hechos y menos promesas.

Activa la ley de la manifestación; pero sin olvidarte de aplicar a fondo la ley de la acción (no hay nada más determinante en la 3D). Ya sabes: «a Dios rogando y con el mazo dando.

Y no te recomiendo usar la culpa como motivación, como tampoco te recomiendo usar la perfección como motivación. Aunque todo el mundo huye de algo y a la vez se dirige hacia alguna parte, si has de huir de algo que sea del autosabotaje y si has de dirigirte a alguna parte que sea a la autoestima.

Con autoestima me refiero a esto: no pienses ni expliques lo que harás, hazlo. Yo no recibí mucho amor, salvo el de mi familia, así que tuve que compensar con toneladas de autoestima. No habían muchas expectativas sobre mí, de hecho no estaba ni previsto que naciera; así que cuando me cansé del ninguneo, di un puñetazo en la mesa y se acabó la tontería.

Un buen día te cansas de llorar y dices «Basta, hasta aquí hemos llegado». Y ese día muere un «yo» minúsculo y ficticio; y nace un Yo real y grandioso. Eso es despertar, eso es iluminarse, eso es lo que la vida espera de todos nosotros. ¿Estás listo?

Lector, saca pecho, saca orgullo, saca agallas, saca dignidad… Ya no se trata tanto de conseguir esto o lo otro, se trata de acabar con el infame atropello a la humanidad. Es mejor morir de pie que vivir de rodillas. La maldad dueña del mundo se confabulará para ninguneartee pero el libre albedrío te permite decir «basta»; y hasta que eso no ocurra, las fuerzas del mal —que dominan el mundo (y no te imaginas de qué modo)— te anularán y tu vida será miserable.

Vivimos bajo una conspiración de miles de años en contra de la humanidad. Nuestra civilización humana es el hazme reír de buena parte de la galaxia, tiene muy mala reputación, no se nos respeta como especie porque vivimos como esclavos cuando en realidad somos príncipes. Pero sobre todo porque traicionamos a los de nuestra misma especie por dinero.

Somos de las pocas civilizaciones del cosmos que se atacan entre sí; y peor aún, cuyos seres se atacan a sí mismos por carecer de autoestima. Para nuestra mayor vergüenza, en el planeta se abusa de los niños de un modo que no puedes ni imaginar, y ese es el crimen más intolerable. La razón por la que he decidido no volver a este planeta bárbaro y salvaje... Descuida, nadie de ahí afuera vendrá en nuestra ayuda, no la merecemos, porque nosotros mismos no nos hemos ayudado mientras seguimos permitiendo lo inaceptable.

Cuando reaccionas y despiertas de la pesadilla, reclamas tu autoridad, se hace el silencio, el mundo se calla, el cosmos resuena, porque estaba esperando esa reacción de tu parte desde mucho tiempo atrás. No hay nada que respete más la vida que una persona autoconsciente y despierta.

Declara tu «día internacional», quiérete más, apela a tu dignidad y demuestra de qué madera estás hecho (a imagen y semejanza de los dioses). Y así se acabará la tontería a tu alrededor, el abuso, el ninguneo, el desprecio, la manipulación. Un día tienes que decir basta, secarte las lágrimas y de pronto empezarán a pasar cosas buenas a tu alrededor.

Yo ya he estado demasiado tiempo en el agujero por eso no pienso volver ahí. Cuando te han rechazado una y otra vez, dejas de buscar la aprobación ajena y encuentras la tuya. Entras en ebullición, te evaporas y te haces intocable. Entonces puedes aprender a quererte y ser disciplinado en consecuencia, empiezas a hablar con hechos y ya no aceptas más lo inaceptable.

Menos lágrimas, más dignidad.

Creo que la gente piensa demasiado y se hace tal lío mental que se bloquean antes de empezar. A eso me refiero con el autosabotaje: parece que estás haciendo algo con tu vida pero solo la estás enredando.

Lo que nos conduce a un principio para la disciplina fácil y automática.

Más autoestima, menos autosabotaje.

La motivación es una estrategia fallida para objetivos no deseados. Hace mucho que no voy a las empresas a motivar a sus empleados, es malgastar el tiempo de todos. Si no están motivados, lo mejor que pueden hacer es dimitir; lo mejor que puede ocurrirles es que los despidan. Borrón y cuenta nueva. Pero por favor, dejen de contratar a ponentes externos para reprogramar sus mentes. Todo eso es una farsa.

La motivación que funciona es la interna, la autodispensada, no la externa. No pretendas que venga nadie a jalearte —como en un campo de futbol— para dar lo mejor de ti. No creo que vaya a pasar nada parecido y si sucediera, te haría dependiente de un estímulo externo que no puedes controlar. La motivación externa es un camelo.

Cuando tengo algún bajón —no duran mucho, no me lo permito—, me aplico terapia musical para alcanzar un *peak point* de forma fácil y rápida. Uso dos temas infalibles, según necesite sentirme aventurero o invencible, que me funcionan muy bien: el tema principal de la banda sonora de la saga Indiana Jones y el tema de créditos de la saga James Bond, respectivamente. Ya en sus primeras notas me aumentan la adrenalina y despiertan en mí el instinto ganador.

Pero sigamos, tengo más que contarte.

He de decirte que no hay una única manera de adquirir disciplinas, hay muchas, en este libro yo te he mencionado unas cuantas, las que conozco y las que mejor me han funcionado a mí. Pero no hay recetas universales infalibles para todos.

A modo de resumen, en este libro has aprendido lo siguiente para autodisciplinarte:

El Código de la Disciplina:

Estos principios para la disciplina, componen el *corpus* del código de la «disciplina fácil y automática» o las «**3R**», que se sistematizan en tres pasos:

1. **R**esorte (disparador) *Cuando ocurre esto...*
2. **R**eacción (rutina) *...entonces hago esto otro...*
3. **R**epetición (kaizen) *...tantas veces como haga falta.*

Y esos tres pasos son el puente entre una decisión y el resultado deseado.

Cada persona es diferente y prefiere trabajar en su comportamiento de una manera diferente. Y cada tema requiere unos principios y no otros. Prueba qué te funciona mejor. Tú eres el experto en tu vida o deberías serlo.

Además voy a darte algunos recursos extra para la práctica de este curso de «disciplina fácil y automática». La buena noticia es que la disciplina se puede aprender y entrenar incluso por el más indisciplinado o el más perezoso.

No te creas esos cuentos de «Yo soy así», «La disciplina no es para mí», «Es fácil decirlo pero no hacerlo»... Recuerda que el vida o tienes excusas o tienes éxito pero no puedes tener las dos cosas a la vez. Tú eliges.

11 principios para la disciplina

1. «Gracia espiritual» (capítulo 4);
2. «Hacer lo necesario, durante el tiempo necesario» (capítulo 6);
3. «Apilar disciplinas» (capítulo 2);
4. «Acción Inmediata» (capítulo 5);
5. «Decisiones programadas» (capítulo 5);
6. «Hacer lo que temes» (capítulo 5);
7. «Cambios de una acción» (capítulo 5);
8. «Pagar el precio completo» (capítulo 6);
9. «Cambiazo» (capítulo 3);
10. «Ingeniería inversa de objetivos» (capítulo 3);
11. «La magia de los promedios» (capítulo 1).

6 leyes infalibles para la disciplina:

1. Ley de la Persistencia. (Capítulo 1);
2. Ley de la Práctica. (Capítulo 2);

3. Ley de la Correspondencia. (Capítulo 3);
4. Ley de la Identidad. (Capítulo 4);
5. Ley de la Acción Prioritaria. (Capítulo 5);
6. Ley de la Decisión. (Capítulo 6).

12 decretos para materializar decisiones

Hay muchos decretos que pueden reajustar tu mente para que enfoque su poder hacia lo que deseas manifestar. Una forma sencilla de afirmar es repetir decretos que elevan la vibración personal. Si alguien se pregunta cómo elevar su autoestima, esta es una manera.

Elige un decreto por día y durante esa jornada repítelo en silencio varias veces, y sobre todo en los momentos en los que se te ponga a prueba. La frecuencia elevada de estas afirmaciones es suficiente para crear un salto de conciencia instantáneo para que recuperes tu poder.

Los decretos son mantras de automotivación, están formulados para reconectarnos con la *Fuente*. Puedes utilizar los siguientes mantras u otros parecidos, y puedes incluir el concepto de Dios u otro similar. Eso solo son detalles que no interfieren en el resultado.

1. *Yo soy un ser poderoso que elige usar su poder infinito.*
2. *Cada vez que crea que he de elegir, me recordaré que ya elegí el amor.*
3. *Yo soy el poder que actúa.*
4. *Me amo y respeto profundamente y lo demuestro en mi comportamiento.*

5. *Yo soy un ser completo, poseo todo cuando me conduce a la felicidad.*
6. *Doy a mis problemas materiales y mundanos una respuesta espiritual.*
7. *Yo soy la persistencia que salva todas las dificultades.*
8. *La disciplina es un acto de amor hacia mí mismo.*
9. *Yo soy la llama que consume las dificultades.*
10. *Mi única misión es la de llevar el amor a todas mis decisiones.*
11. *Yo soy la ayuda que en cada momento necesito.*
12. *Recibo la inspiración que necesito a cada situación.*

Plan de acción por pasos

Es hora de armar el plan de acción, en unos pocos pasos sencillos, para una disciplina fácil y automática.

Paso 1. Identifica dónde estás bloqueado: tu problema.

Paso 2. Aplica el Código de la Disciplina «3R»: tu estrategia.

Paso 3. Aplica los doce principios en tu día a día: tu práctica.

Paso 4. Mantén el impulso y silba: tu disciplina.

Por ejemplo, imagina que tu problema es no resistirte a un postre dulce cuando sales a comer afuera. Te los ofrecen y son muy tentadores. Pero un postre no solo afecta tu peso, también sabes que el azúcar es un tóxico que enferma. Bien ya has identificado tu problema de peso y salud. Tu decisión al respecto es no tomar postres y/o dulces, sin excepciones. Y tu estrategia será: «cuando me ofrezcan la carta de postres, entonces yo la rechazaré» (ni siquiera la miras).

En la práctica, aplicarás el principio de la «decisión programada» que es rechazar la oferta de plano. Además, aplicarás el principio del «cambiazo» sustituyendo el postre por un café (sin azúcar, aplicación del principio de «pagar el precio completo») o una infusión. Y aplicarás el principio de la «acción inmediata» aplicable desde hoy. Las primeras veces supondrá una lucha interna porque aún no es un hábito; pero con disciplina, será una respuesta fácil y automática.

En resumen, al terminar este capítulo cuentas con seis leyes infalibles, once principios para la disciplina con autoestima y sin autosabotaje. Y posees el código de la disciplina. No necesitas más para ponerte a prueba y comprobar si vas en serio.

La disciplina es una mentalidad y una actitud, cuando la creas se queda contigo para siempre. Una vez instalada en tu *software* mental, queda programada hasta nueva orden. De ahí en adelante, no *tienes* disciplina, *eres* disciplinado. Forma parte de tu ADN. Y en el próximo capítulo vamos a profundizar en cómo activar tu disciplina en los cromosomas virtuales de tu ADN (siglas que significan «Ácido Desoxirribonucleico» o como me gusta rebautizarlo a mí: «Atributos Divinos Naturales»).

He dejado lo mejor para el final aunque sé que no es un contenido que pueda asimilar todo el mundo, quedas avisado. De modo que bajo tu responsabilidad... pasa la página.

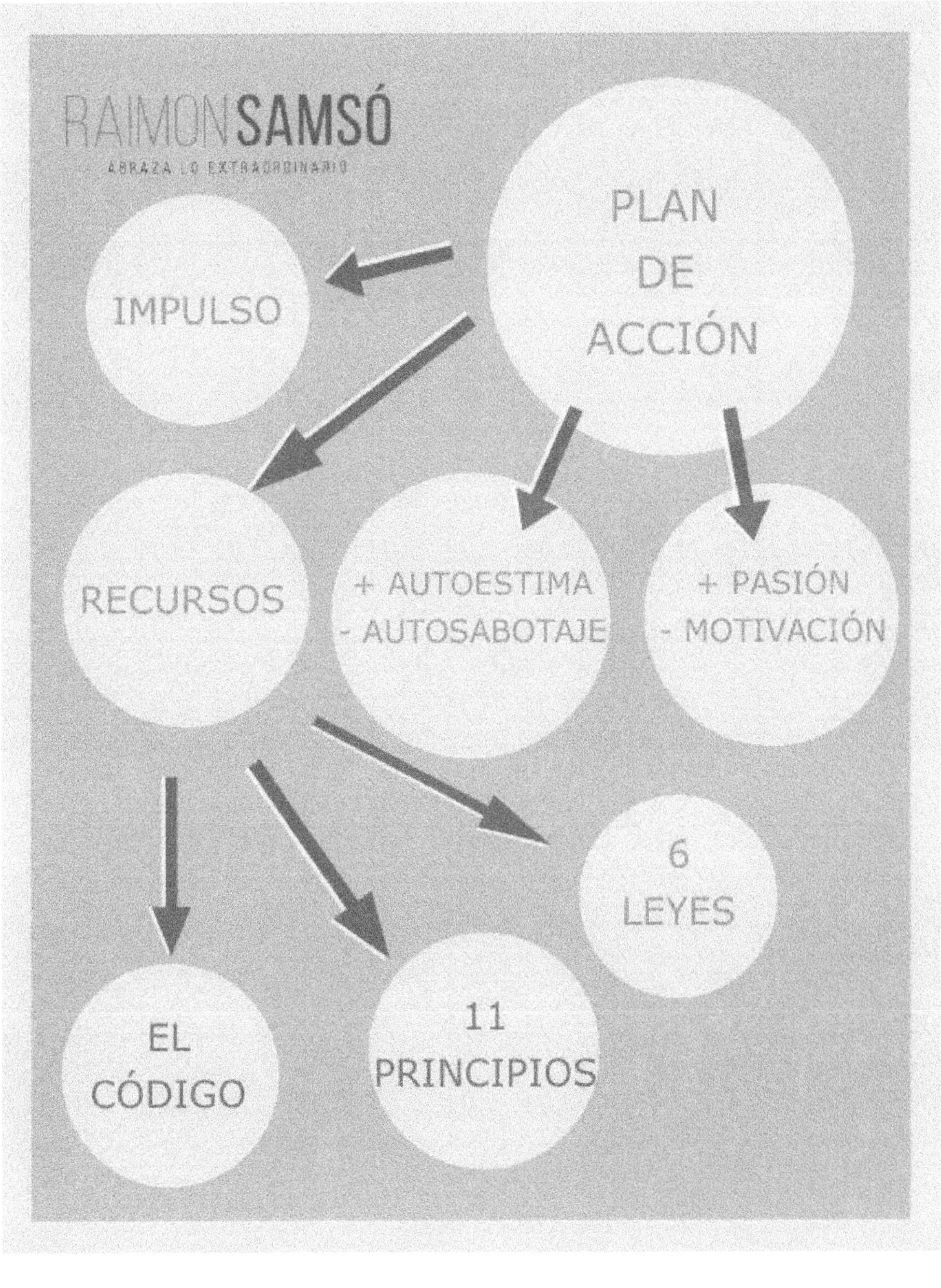

RAIMON SAMSÓ
ABRAZA LO EXTRAORDINARIO
PLAN DE ACCIÓN
IMPULSO
RECURSOS
+ AUTOESTIMA
- AUTOSABOTAJE
+ PASIÓN
- MOTIVACIÓN
6 LEYES
11 PRINCIPIOS
EL CÓDIGO

CAPÍTULO 8

EL CAPÍTULO PERDIDO

INSTRUCCIONES PARA ACTIVAR LA DISCIPLINA EN EL ADN

ESTE LIBRO terminó en el capítulo anterior.

Lo que sigue es el «capítulo perdido» sobre la disciplina, las instrucciones para la activación espiritual de la disciplina, rescatadas de una avanzada civilización antediluviana. Es una enseñanza olvidada de los Atlantes (la civilización más poderosa y avanzada que ha existido sobre la faz de la Tierra hasta el momento).

Aunque este capítulo es una de las razones por las que escribí este libro, puedes saltártelo pues sé que no es para todo el mundo. Puedes amarlo o puedes ignorarlo, tú eliges.

Como no lo incluí en mi primer libro sobre la disciplina, sentía que estaba en deuda. Pensé que su mensaje no sería apreciado, pero después del caos al que ha sido sometida la humanidad desde 2020, muchos ya han despertado y ahora están dispuestos a elevar su nivel de conciencia. Al haber avanzado una generación en apenas dos años, decidí revelarlo, y entonces construí un libro entero, el que estás leyendo, alrededor de ese capítulo perdido.

Lo que sigue es un contenido adicional que he decidido incluir porque sé que hay lectores que están listos y que lo apreciarán. Lo que te revelaré es una aproximación mística al hábito de la disciplina que equilibra el contenido, un poco más mental, de los siete capítulos precedentes.

Si eres una persona más mental, con inclinación a la lógica, puedes saltarte la lectura de este capítulo con la seguridad de que todo lo leído hasta aquí te proporcionará mucho provecho y cambiará el rumbo de tu vida.

Si eres una persona de inclinación espiritual, como yo, recibe este «capítulo perdido» como un bonus del libro que pretende llevarte más allá de lo que has aprendido hasta aquí. Juntos de la mano daremos un salto cuántico. He de advertirte que haré algunas disgresiones del tema que nos ocupa para poder ponerte en contexto.

Lo que sigue a continuación te ayudará a hacer un salto evolutivo tan grande que, una vez dado, regalarás este libro a alguna de tus amistades porque a ti no te hará ninguna falta. La conquista de la disciplina será una nimiedad irrelevante. Pronto descubrirás que en la dimensión de la certeza y el amor incondicional es imposible autosabotearse.

Para quienes abandonen la lectura aquí, me despido de ellos con cariño hasta mi próximo libro, o eso espero al menos. Para los que decidan seguir, solo les pido apertura de mente y de corazón.

Sé que ahora mismo hay dos humanidades: una que elige sobrevivir y otra que elige ascender. Por delante nuestro, se abren dos caminos muy diferentes que convergerán en un mismo destino tarde o temprano. Las dos humanidades son muy amadas por nuestros creadores. No hay favoritismos.

Como te dije, existe un nivel de conciencia para el cual la disciplina simplemente no existe debido a que en él no existe tampoco la indisciplina. Tampoco existen las dudas, las elecciones, la dualidad o el miedo. En esa dimensión mental 5D, hacer lo correcto es la única posibilidad, ¡no hay otra opción! De modo que no es posible elegir entre aplicarse a la indisciplina o a la disciplina. No hay ninguna decisión que tomar pues la última decisión que tomaremos corresponde a la 3D y consiste en despertar o no despertar.

Vayamos miles de años hacia atrás…

La Atlántida fue una civilización humana que brilló por decenas de miles de años, con una avanzado nivel —no igualado por la actual humanidad— y con un ADN multidimensional intacto, tal como les legaron los creadores a nuestros ancestros. La existencia de aquella civilización es tan antigua que el alma no la recuerda ni la vincula a nada que haya aprendido en el actual ciclo evolutivo aunque conlleva el trauma de su destrucción. Quedan vestigios materiales de aquella civilización pero son, y han sido, ocultados por los amos del mundo quienes reescriben la historia. Lo que cuenta aquí es saber que aquel ADN original atlante y prediluviano fue manipulado hasta convertirlo en la actual caricatura de lo que fue un día.

Hoy, a consecuencia de la manipulación del ADN, la vida en la Tierra es muy corta comparada con la vida en otros planetas (los humanos apenas vivimos ochenta o noventa años a lo sumo) porque en realidad este es una experiencia de tránsito. Y nos hallamos sumidos en el «modo supervivencia», un estadio primitivo, hostil y poco evolucionado.

El planeta Tierra ya no es un destino evolutivo, sino una escala intermedia a planos superiores. De hecho, venimos a tomar una decisión nada más; y para tomarla, nos basta y nos sobra con esos 80-90 años. Como te he anticipado en este y en otros libros, nuestra única decisión posible aquí es la de despertar o no. No hay otro propósito de vida.

Llamaremos a ese nivel de conciencia despierta la 5D. Y la única decisión que tomar ahora para acceder a ella es ¡despertar! Una vez decides ver, ya no hay más elecciones por delante porque la dualidad y el libre albedrío dejan de usarse como camino evolutivo. Todas las decisiones desaparecen tras haber elegido despertar.

Cuando sabes todo, no necesitas elegir nada.

Puestos en contexto, vayamos ahora al microcosmos de nuestra biología.

El ADN es el invento más grande que podemos siquiera imaginar. Es mucho más que el programa de la vida, desvela nuestro origen y nuestro destino como especie. El código genético de nuestro ADN es todavía un misterio que la ciencia actual no puede explicar por completo. No somos una civilización de expertos genetistas como las que nos han visitado en nuestra protohistoria. Peor aún, la «secta cientificista» o «iglesia del progreso» trata de explicar todo desde un paradigma materialista sin comprender que el ADN no es solo una cuestión bioquímica, sino también espiritual.

En efecto, el ADN (en mi jerga: «**A**tributos **D**ivinos **N**aturales») es un reservorio codificado de información multidimensional. De ahí que las mentes tridimensionales no puedan entenderlo (o tal vez sí lo saben y lo encubren como hacen con la mayoría de descubrimientos que podrían beneficiar a la humanidad). Estos cientificistas declaran que el 97% del ADN es «basura» —vamos, que no sirve para nada— básicamente porque lo que no entienden, lo rechazan. Esta deducción no solo es de pura risa sino que es un insulto a nuestra inteligencia. En la naturaleza —que se rige por la perfección absoluta— no hay basura, solo la hay en algunas mentes humanas.

El 97% del ADN codifica y dirige el 3% que rige nuestros cuerpos humanos. Si alguien muy inteligente buscase el modo de codificar información para que llegase intacta a través de los milenios, no hay un lugar mejor que el ADN por sus características. Creo que el ADN es la «cápsula del tiempo» que nos dejaron nuestros creadores; oculta dentro de nosotros para que un día, cuando nuestra evolución lo permitiese, pudiéramos conocer nuestro origen cósmico.

Quienes nos crearon son maestros genetistas y su nivel tecnológico y espiritual está tan por encima de nuestra capacidad que ni siquiera imaginamos la importancia de nuestros códigos de ADN. Nuestro ADN es a la vez un experimento cósmico y un logro de una ciencia que no es de aquí. En nuestros genes corre información de una veintena de razas de allende el cosmos. Así que si alguna vez te preguntaste si existen o no los extraterrestres, deberías saber que ¡tú eres uno de ellos! ¡Todos lo somos! Y fuiste creado por ellos a partir de la combinación de ¡muchas razas estelares!

Dicho esto, puedes ir a la nevera y tomarte algo fresco que te recomponga. Cuando estés recuperado, sigue con esta lectura, te queda muy poco para terminarla. Te doy la bienvenida a la realidad, la misma que te ha sido ocultada expresamente por los amos del mundo para que no tomes conciencia de tu naturaleza y de tu poder.

Cierto es que milenios después cierta raza visitante, los amos del mundo, manipuló y hackeó esos códigos genéticos, hace miles de años, para convertirnos en una versión capada del original y en una raza esclava; pero incluso así, el material genético desactivado es una obra sublime, combinación sabia de otras razas cósmicas, somos las semillas estelares de los creadores con un potencial infinito. Una joya biológica en el laboratorio del universo.

Si te preguntas cual es el verdadero oro en el universo, no son los recursos, ni los minerales, ni el agua... es el ADN y su código divino. El código genético de nuestros creadores es el auténtico Santo Grial. Y eso es lo único que les interesa de nosotros a los muchos y variados visitantes que nos observan y visitan, incluidos los oscuros amos del mundo que compiten en vano con Dios obsesionados por crear el transhumanismo sin alma.

La obsesión de los amos del mundo es destruir el ADN humano, la máxima expresión de la creación divina, el «libro de Dios», donde están registradas las instrucciones para pasar de un cuerpo terrenal a un cuerpo celestial o ascendido. El plan de la secta globalista para evitar la Ascensión se llama: Nuevo Orden Mundial o Agenda 2030 o Great Reset. Ahora entenderás la importancia vital para el futuro de la especie de preservar tu ADN, tu alma y activar tus hebras virtuales. Estamos en una guerra —mundial— espiritual.

En los años de la *Plandemia*, la secta ocultista gobernante se ha empleado a fondo en hackear el código divino del ADN para degradarlo; y en una gran parte, ya lo ha conseguido en su plan genocida con engaños, simplemente usando el miedo de la gente a morir. A pesar de que ya se ha avisado —muchas veces, por muchos y de muchas maneras— que solo el amor (la cura al miedo) salvará las almas de su destrucción.

Cada vez más estudiosos del origen de la humanidad están de acuerdo en un origen estelar (semillas estelares). Es la teoría de la «panspermia» del Premio Nobel sueco Svante Arrhenius (1859-1927). En pocas palabras, la vida fue sembrada allende el universo por especies que valoran más los genes que los recursos naturales. Y nosotros haremos lo mismo algún día. Las semillas de vida no llegaron en un asteroide, sino que fueron implantadas por especies que sabían lo que hacían; y que replican tanto aquí como en otros mundos habitables.

Si esta teoría te parece muy extravagante, te diré que personas como los premios Nobel que descubrieron la estructura de doble hélice del ADN (Leslie Orgel y Francis Crick) fueron adalides de la teoría de los astronautas de la antigüedad y la panspermia dirigida. Tras estudiar a fondo —sin comprender aún por completo el ADN— concluyeron que semejante nivel de complejidad no podía tener un origen natural sino artificial. ¿Pruebas? Probablemente existan pero con la ocultación de la verdad, en todos los niveles, con la que se hostiga a la humanidad, difícilmente las conseguiremos. Que cada cual piense lo que quiera.

El darwinismo no pasa de ser una teoría más, el cuento de la «evolución de las especies» de Charles Darwin no solo no está probado, sino que no deja ser una teoría improbable. El eslabón perdido nunca se encontrará, simplemente porque no existe. La idea de la evolución biológica a través de la «selección natural», se desarrolló en su obra —por encargo de las élites— «El origen de las especies» un folleto propagandístico que oculta a propósito nuestro verdadero origen, nuestro potencial evolutivo y que nada más alienta la competición y la agresividad en la especie.

Fíjate que siempre que hay un asunto delicado se crea un vacío de conocimiento (ocultación de información) que los cientificistas (secta del transhumanismo que quiere *zombificarnos*, *chipearnos* y *robarnos* el alma) solventan con los socorridos monos. O tildan como «basura», como en el caso del ADN no codificado. Donde hay un misterio insondable, encuentras un mono como chivo expiatorio. Fíjate en esta incoherencia: unos monos supuestamente han evolucionado a humanos; pero otras especies de mono, no. Ahora ya puedes reírte, ¡la culpa es del mono!

Ni la historia, ni la arqueología, ni la ciencia… es lo que crees. Son un inmenso cuento propagandístico mezclado con algunas verdades. ¿Arqueología suprimida? Ni te lo imaginas. Los cientifistas son un grupo sectario que actúa colegiadamente para proteger su chiringuito académico. Por ejemplo, una de las primeras cosas que aprenden los futuros arqueólogos no es a excavar, sino a desprestigiar a investigadores no convencionales o pseudo arqueólogos. Si no me crees, pregúntale a Michael Cremo autor del libro «*Arqueología prohibida*» —que te recomiendo leer— ridiculizado hasta lo absurdo como tantos otros. Otro libro que amé es «*La historia prohibida*» de diversos autores cansados de las infames falsedades cientificistas con las que se adoctrina a la humanidad para controlarla.

No tengo nada en contra de los arqueólogos —pero sí contra sus amos—, salvo que prefiero el estilo *Indiana Jones* antes que el de los empollones de biblioteca con subvención del estado. Como bien dice Erich Von Däniken: «Algo huele a podrido en el reino de los arqueólogos». Que le pregunten sino a los herederos del difunto, hace 125 años, Heinrich Schliemann, el descubridor de la ciudad de Troya y del Tesoro de Príamo, además de la ciudad de Micenas. Heinrich Schliemann fue un héroe que invirtió su propia fortuna para dedicar la segunda mitad de su vida a buscar la mítica Troya, que ningún arqueólogo convencional encontró. Y ese éxito es algo que nunca le perdonaron. Su diario de campo era la misma «*Ilíada*» de Homero y, armado con ella, encontró enterrada la ciudad de Troya en las colinas de Hisarlik, a finales del siglo XIX.

Nuestro héroe alemán donó los tesoros hallados (infinidad de piezas de oro) a los gobiernos de Turquía y Alemania, pero ni siquiera eso le sirvió para obtener un mínimo reconocimiento. Te recomiendo leer su biografía: «*El hombre de Troya: autobiografía*». Fascinante personaje al que admiro profundamente desde mi juventud. Por cierto, como hombre disciplinado que era, se levantaba cuando aún era de noche para nadar en el mar, antes de desayunar y de empezar las jornadas de excavación.

Volviendo al ADN, según científicos rusos, nuestro ADN no sólo es responsable de la construcción de nuestro cuerpo, sino también almacena datos y nos comunica con realidades superiores. Lingüistas rusos entendieron que el código genético, especialmente lo que se llama «ADN basura» sigue las reglas de nuestros lenguajes humanos, de modo que el lenguaje no es una ocurrencia casual, si no un reflejo de nuestro ADN. Pero los cientificistas, a sueldo de los amos del mundo, no quieren que lo sepas.

 El ADN responde al lenguaje.

Y este descubrimiento es de vital importancia a los efectos prácticos de este capítulo sobre la disciplina genética. Lo que trato de decirte es que simplemente aplicando vibración y lenguaje se puede modificar / reparar el ADN, y también programarlo. ¿Programarlo para qué? ¿Qué te parece para ser disciplinado? Recuérdalo para cuando nos adentremos en el modo de activar el ADN o regresar a un estado genético multidimensional. ¡Y todo ello a efectos de activar la disciplina!

En mi opinión, las hebras del ADN —impronta de la divinidad— son como *antenas cósmicas* que emiten y reciben información y que se comunican no solo con nuestros creadores, sino con el universo entero. Y esas antenas gestionan no solo información sino algo más elaborado, sabiduría.

¿Encaja con la archiconocida afirmación mística de todas las filosofías: «Todo está en tu interior, dentro de ti»? Pues resulta que sí, es cierto, tan adentro como en nuestro ADN, ocultado bajo un montón de supuesta basura para que ni se nos ocurra buscar allí.

El 97% del ADN es información espiritual, potencial espiritual, capacidades espirituales... que resumen eones de tiempo, diferentes civilizaciones humanas en este planeta, y tecnología genética de varias razas no humanas. Es la sede del «Yo Soy», del karma y de los «registros akásicos», resume nuestros antecedentes espirituales. Es de naturaleza multidimensional, holográfica y cuántica. Y es el mapa de la historia de la humanidad. La maravilla de las maravillas...

...Y el pobre diablo de Charles Darwin escribió —en su teoría nunca contrastada— que la evolución es fruto de la casualidad, de la entropía ordenada, del azar, de la competición de las especies, e incluso de la suerte... Escúchame bien, hay tantas posibilidades de que sea así como de que una simple patada a un montón de chatarra construya de forma espontánea el iMac con el que estoy escribiendo este libro. He concluido que su teoría de la evolución de las especies, nunca probada, es una simplemente «tapadera» pseudocientífica, orquestada por los amos del mundo, para ocultar el origen real de nuestra especie.

Hay muchas «tapaderas» en la historia oficial para evitar que conozcamos la verdad de la epopeya humana. Es un hecho demostrado que la historia no empieza en Sumer (unos 4.000 años a.C.) como nos quieren hacer creer, sino hace cientos de miles de años antes, tal vez millones, con varias civilizaciones humanas separas por *reinicios* accidentales y también provocados. Y lo más importante: no solo han existido sucesivamente varias civilizaciones humanas más antiguas que la nuestra, sino también más avanzadas tecnológicamente.

Pero volvamos a lo que nos ocupa —la disciplina—; y veamos cómo la activación del «ADN basura» nos conduce a una conexión más profunda con nuestro ser. Desde ese estado de conexión, tus decretos tienen que hacerse realidad y lo que imagines será verdad.

La activación del ADN tiene infinidad de ventajas a todo nivel (cuerpos físico, mental, emocional y espiritual); pero en lo que nos ocupa verás como…

- Aumentar el respeto por uno mismo.
- Encontrar respuestas a preguntas.
- Disolver la incertidumbre por certeza.
- Liberar miedos, dudas, indecisiones.
- Comprender el propósito de la vida.

- Autoconfianza para emprender cambios.
- Fuerza de voluntad para acabar lo empezado.
- Mayor concentración y enfoque.
- Manifestación más rápida de deseos.
- Aumento de la paciencia.
- Autodominio de comportamientos.
- Sentimiento de seguridad y control.

Activar el ADN desconectado conlleva activar la autodisciplina, que es el amor profundo e ilimitado por uno mismo, sin que se necesite estar motivado o sea precisa la fuerza de voluntad.

Veamos el cómo...

Ya debes saber cómo hacer introspección, como relajarte y entrar en estado meditativo. Esa parte me la voy a saltar, a estas alturas debes dominarlo. Pero es necesario que entiendas que es preciso un estado mental adecuado para la Ascensión de la consciencia a un nivel superior.

En lo siguiente, he utilizado el protocolo que describe el Dr. Robert Gerard en su libro «*Cambia tu ADN, cambia tu vida*». Es simplemente un protocolo al que adherirse, pero puedes aplicar tu propio sistema si tienes otro que te funcione mejor. Básicamente lo que estamos haciendo es unir dos cordones que estaban sueltos con un lazo de amor. Un lazo en el cielo.

Una vez te halles en estado de presencia y ajeno a todo cuanto te rodea, afirma tu divinidad. Decreta tu naturaleza infinita, intemporal e ilimitada. Desde esa presencia poderosa, tus objetivos y metas mundanas te parecen un juego de niños comparado con el poder con el que conectas. Ahora ordena la activación de tus hebras de cromosomas inactivas y de todo su potencial genético. Recuerda que fuiste creado perfecto y completo por una inteligencia perfecta más allá de lo imaginable.

Usa decretos tales como: *Yo Soy… Yo concedo… Yo activo…* Ejemplos de decretos activadores:

- *Yo soy la creatividad que crea universos.*
- *Yo concedo la activación de mi potencial divino.*
- *Activo mi autoconfianza, mi autoestima, mi autodisciplina.*

Los decretos son afirmaciones investidas de autoridad y convicción. Declaran una intención firme, en un asunto específico, en virtud del poder incontestable de la naturaleza divina de nuestros creadores. Decretas lo que quieres conseguir.

Visualiza un rayo de luz descendiendo por tu coronilla que abraza todo tu ser y se expande en forma de aura a tu alrededor. Cuando notes un hormigueo en tu coronilla, es la señal de que estás siendo abrazado por la luz que te nutre desde el sol central de la galaxia. Es así como empiezas a activar tu glándula pineal en el cerebro, tu «tercer ojo», tus *chakras* principales y el campo electromagnético de tu corazón. Tu cuerpo energético.

A continuación, visualiza que desciendes y entras en el espacio microscópico de la célula. Es un espacio holográfico que contiene el todo y que se vincula con el todo. Decreta los aspectos de ti que quieres activar: seguridad, control, sabiduría, certeza, compasión… Cuando activas un «cromosoma espiritual», todos los demás se ven afectados en la dimensión cuántica de correlación absoluta.

Tú estás en el universo pero el universo está también en ti.

Tras decretar tu naturaleza, ordena la activación, y hazlo tantas veces como desees: *«Yo ordeno la activación de mis cromosomas espirituales inactivos ahora y para siempre».* Ordenar es sellar un decreto, publicar su ley el cosmos.

Ordena a todas tus hebras que se activen, visualiza cómo el proceso se replica en todo tu cuerpo. Todas las células saben qué ocurre en cada parte de tu cuerpo y se suman a la activación. Disfruta del espectáculo.

Al terminar, a tu propio ritmo, cuando sientas que el trabajo está hecho, regresa al aquí y ahora, y empieza a mover tu cuerpo y abrir tus ojos. Cierra la sesión de activación del ADN con este decreto: «Está hecho». En efecto, dalo por cierto, es seguro, no lo dudes. Puedes repetir la activación en otro momento, pero si lo haces que no sea porque dudas, sino porque lo confirmas.

Los códigos genéticos cambian cuando entramos en un nivel de conciencia superior. No ocurre otra cosa que una aceleración de frecuencias. Pero no has de preocuparte demasiado por cómo hacer un cambio frecuencial ya que estamos siendo ayudados con el envío masivo de fotones —información ordenada— desde el centro del cosmos, por apoyo de entidades extraterrestres amigas, y porque además nuestro ADN tiene codificada nuestra evolución.

ya está ocurriendo, ahora mismo nos elevamos con cada oleada de energía que reciben nuestros campos electromagnéticos personales. Y como he dicho antes: la visualización, el decreto y el sonido son parte del trabajo que podemos hacer para ayudar, sabiendo que recibimos ayuda de la guía divina que nos apoya en la Ascensión.

Con lo expuesto aquí, bastará para la activación del ADN porque la imaginación, la visualización, la emoción y el decreto crean realidades tangibles y medibles. Como ya te he dicho, el ADN es sensible y responde al lenguaje, es lo que descubrieron los científicos rusos.

Háblale a tu ADN, atiende tus instrucciones.

También puedes usar los tonos, la frecuencia del sonido, para activar tu ADN. El sonido adecuado desbloquea nuestra estructura genética. En este sentido, nada más efectivo que la música de Mozart que es un corredor o portal directo a la divinidad. Ese músico fue un enviado, al igual que los profetas, para introducir con *su* música los códigos sonoros que facilitan la Ascensión. No ha de extrañarte que por ese motivo la secta oscura, que ya existía por entonces, lo eliminase. Te aconsejo escuchar a Mozart de forma regular. Yo tuve un flechazo musical con la obra de Mozart desde bien joven, pero no fue hasta mucho más tarde que entendí el por qué.

Otra cosa que puedes hacer es borrar los «implantes mentales negativos» que el control mental masivo por parte de todos los gobiernos aplican a los ciudadanos para manipularlos. «Ellos» usan protocolos sofisticados y muy efectivos, que ni siquiera fueron ingeniados por nuestra especie, para convertirnos en esclavos sin alma. «Los implantes mentales negativos» se insertan desde los medios de comunicación, los partidos políticos, las organizaciones gubernamentales y las instituciones supranacionales… para la manipulación y zombificación de los seres humanos. Cuando descubres su patrones de manipulación recurrentes, sus viejos trucos, ya no puedes dejar de verlos y entonces es muy fácil eludirlos. Ahora nos vendrán con el timo del «cambio climático», el «calentamiento», las «emisiones CO_2», etc... otra farsa monumental de control.

Hecho todo esto por tu parte, además de despertar a la verdad, no queda mucho más por hacer que fluir en este gran cambio evolutivo para la Ascensión de una parte de la humanidad. Los códigos del ADN se activarán porque en su diseño adánico original está prevista la Ascensión evolutiva; y es algo que no se puede evitar por la oscuridad.

No importa si al principio albergas algunas dudas, sigue practicando tu activación, estás recordando cómo conectar con las instrucciones originales que los dioses creadores codificaron en tus células. Es tu tesoro genético que ha estado aguardando a que lo reclamaras.

Estás activando el 97% desconocido que rige el 3% conocido. Estás activando la dimensión espiritual que dirige la dimensión material. Tus diez hebras virtuales se activan y se apilan encima de la doble hélice, tus dos hebras convencionales (las únicas que te dejaron conectadas los amos del mundo). Ahora se activan todas las conexiones de ADN en todas las células del cuerpo, se activa tu cuerpo de luz con una vibración más elevada. Literalmente te estás iluminando, pasando del modo *off* al modo *on*.

Fuiste creado perfecto y completo, y estás reclamando la perfección que eres pero que olvidaste por motivos que ahora no importan. Esta conexión ya no se perderá más porque ahora sabes cómo fue vivir en la separación y ya no aceptarás vivir nuevamente detrás del velo.

Has despertado de la pesadilla de la separación (la caída).

Estás, no solo en medio de una activación, sino consiguiendo una reparación y sanación. El cosmos está a tus órdenes y a la espera para cumplir tus deseos si conectas con su frecuencia. Has vuelto a casa y ten por seguro que fuiste extrañado durante mucho tiempo en tu hogar de luz. Mientras reconoces este salto evolutivo, tus hebras virtuales se están activando y entrelazando a pleno rendimiento.

Lo bueno es que no hay un modo de hacerlo bien o mal. Simplemente recupera el poder decido hace miles de años bajo engaños y malas artes de las élites satánicas. Hazlo a tu manera, en tus decretos usa tus propias palabras, no las mías. Tu intención encontrará el camino y sabrá cómo activarte. Actívate ahora.

Y, como te dije, puedes hacerlo tantas veces como quieras, aunque no sea necesario. Pero recordar quién eres, y cómo eliges vivir, siempre va bien en un mundo manipulado y engañoso.

Estimado lector, llegamos al final de este viaje a la disciplina. Repasa los siete primeros capítulos, son las siete llaves a la «autodisciplina fácil y automática» porque describen un sencillo acto de autoestima. Este último capítulo, el octavo, es un bonus para una avanzadilla de corazones aventureros; yo los llamo «semilla estelares» y también «trabajadores de la luz». Pero en cualquier caso, con las siete llaves entregadas, «El Código de la Disciplina», dominarás el hábito de todos los hábitos.

Disfruta de este proceso.

Ya eres disciplinado.

Y todo cuanto puedas imaginar.

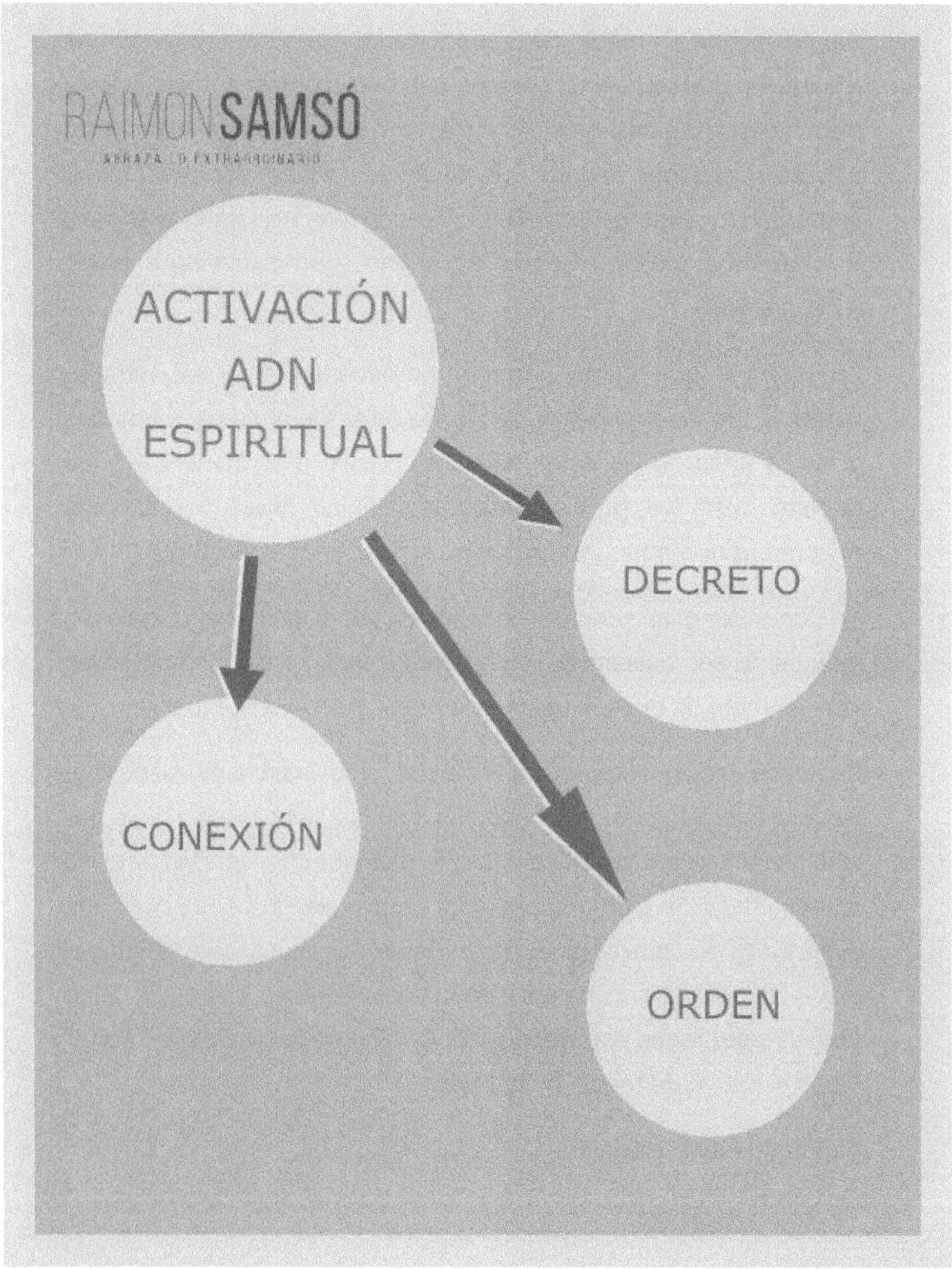
RAIMON SAMSÓ
ACTIVACIÓN
ADN
ESPIRITUAL
DECRETO
CONEXIÓN
ORDEN

CONOCE AL AUTOR

Webs del autor:

www.elcodigodeldinero.com
www.raimonsamso.com
www.institutodeexpertos.com
www.tiendasamso.com
http://raimonsamso.info
https://payhip.com/raimonsamso
https://linktr.ee/raimonsamso

Síguele en:

Canal Telegram: Raimon Samsó oficial (real)
https://t.me/sabiduriafinanciera

instagram.com / raimonsamso
youtube.com / raimonsamso
pinterest.com / raimonsamso

BIBLIOGRAFÍA
RECOMENDADA

Hay muchos libros sobre el tema de la disciplina y los hábitos, pero estos son los que más me han gustado y considero que vale la pena tener en la biblioteca… lo dejo en tus manos. Haz tu propia investigación, aprende siempre. Los libros que no lees nunca podrán ayudarte. De todas formas, media docena de libros es más que suficiente.

1. *«El poder de la disciplina» de Raimon Samsó*
2. *«30 días» de Marc Reklau*
3. *«El poder de los hábitos» de Charles Duhigg*
4. *«Un pequeño paso puede cambiar tu vida» de Robert Maurer*
5. *«Mini hábitos» de Stephen Guise*
6. *«Cómete ese sapo» de Brian Tracy*

EL PODER DE LA DISCIPLINA

RAIMON SAMSÓ

EL HÁBITO QUE CAMBIARÁ TU VIDA

EDICIONES INSTITUTO EXPERTOS

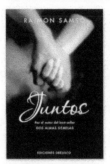

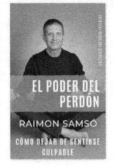

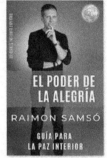

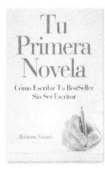

EL CÓDIGO DEL DINERO
Conquista tu libertad financiera
Raimon Samsó

RAIMON SAMSÓ
Dinero feliz

SABIDURÍA FINANCIERA
EL DINERO SE HACE EN LA MENTE
EDICIONES INSTITUTO EXPERTOS
RAIMON SAMSÓ

D.I.N.E.R.O.
Mis 6 secretos para retirarme rico
RAIMON SAMSÓ

EL HÁBITO DE LA RIQUEZA
MANUAL DE PROSPERIDAD
RAIMON SAMSÓ

RICA MENTE
EL JUEGO INTERIOR DE LA RIQUEZA
RAIMON SAMSÓ

LOS 3 ÁRBOLES DEL DINERO
Secretos de Riqueza Verdadera
RAIMON SAMSÓ

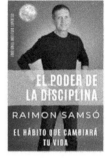

EL PODER DE LA DISCIPLINA
RAIMON SAMSÓ
EL HÁBITO QUE CAMBIARÁ TU VIDA

Tu MENTOR de NEGOCIOS
DESPEGA EN TU EMPRENDIMIENTO
EDICIONES INSTITUTO EXPERTOS
RAIMON SAMSÓ

LA ERA DE LOS EXPERTOS
VENDE TALENTO, INGRESA DINERO
RAIMON SAMSÓ
Director del Instituto de Expertos

IMPERIO DIGITAL
TRABAJA FELIZ VENDE ONLINE
RAIMON SAMSÓ

SERGIO FERNÁNDEZ Y RAIMÓN SAMSÓ
MISIÓN EMPRENDER
LOS 70 HÁBITOS DE LOS EMPRENDEDORES DE ÉXITO

Raimón Samsó
SUPER COACHING
Para cambiar de vida

COACHING PARA MILAGROS
CONSIGUE MÁS CLIENTES
AYUDA A LAS PERSONAS
SÉ LA REFERENCIA
RAIMON SAMSÓ

CITA EN LA CIMA
EL MÉTODO DE LOS DESEOS CUMPLIDOS

EL COACH ILUMINADO
MANUAL DE ILUMINACIÓN LOW COST
RAIMON SAMSÓ

Milton Keynes UK
Ingram Content Group UK Ltd.
UKHW042036191024
2239UKWH00001B/5